第三次世界大戦は
もう始まっている

エマニュエル・トッド
大野 舞［訳］

文春新書
1367

第三次世界大戦はもう始まっている◎目次

1　第三次世界大戦はもう始まっている　13
〝冷酷な歴史家〟として
「戦争の責任は米国とＮＡＴＯにある」
ウクライナはＮＡＴＯの〝事実上〟の加盟国だった
ミュンヘン会談よりキューバ危機
「ＮＡＴＯは東方に拡大しない」という約束
ウクライナを「武装化」した米国と英国
「手遅れになる前にウクライナ軍を破壊する」が目的だった
ウクライナ軍が抵抗するほど戦争は激化
米国にとっても「死活問題」に
我々はすでに第三次世界大戦に突入した
「二〇世紀最大の地政学的大惨事」
冷戦後の米露関係
戦争前の各国の思惑

超大国は一つだけより二つ以上ある方がいい
起きてしまった事態に皆が驚いた
米国の誤算
ロシアにとっても予想外
共同体家族のロシアと核家族のウクライナ
「国家」として存在していなかったウクライナ
「親ＥＵ派」とは「ネオナチ」
ネオナチと手を組んだヨーロッパ
家族構造とイデオロギーの一致
共産主義を生んだロシアの家族構造
家族構造の違いから生じたホロドモールの惨劇
ボリシェヴィズムが初期から定着したラトビアの家族構造
「ヨーロッパ最後の独裁者」を擁するベラルーシの家族構造
「近代化の波」は常にロシアからやって来た
国家建設に成功したロシアと失敗したウクライナ

プーチンの誤算
ロシアはすでに実質的に勝利している
西欧の誤算
欺瞞に満ちた西欧の〝道徳的態度〟
オリガルヒへの制裁は無意味
「ロシア恐怖症」
暴力の連鎖
「消耗戦」が始まる
中国はロシアを支援する
米国と西側の経済は耐えられるのか
経済の真の実力はＧＤＰでは測れない
ウクライナ相手に貿易赤字だった米国
経済における「バーチャル」と「リアル」の戦い
対露制裁で欧州は犠牲者に
米国の戦略目標に二重に合致したウクライナ

ＮＡＴＯと日米安保の目的は日独の封じ込め
現実から乖離したゼレンスキー演説
エストニアとラトビアという例外
予測可能な国と予測不能な国
ポーランドの動きに注意せよ
最も予測不能な米国
「ネオコン一家」ケーガン一族
世界を〝戦場〟に変える米国
米国の〝危うさ〟は日本にとって最大のリスク
核を持つとは国家として自律すること
「核共有」も「核の傘」も幻想にすぎない
米国に対する怒り
西洋は「世界」の一部でしかない
長期的に見て国益はどこにあるか

2 「ウクライナ問題」をつくったのはロシアでなくEUだ 91

「共同体」でなく「国益追求の道具」と化したEU

ウクライナに関心をもつ三国

当初は「ロシアとEUの問題」ではなかった

EUがウクライナを破壊した

今日のEUは「超新星」のようなもの

人口動態が示すロシアの復活

「国家建設」に失敗したウクライナ

ウクライナからの大量人口流出

ロシアはウクライナの分割を望んでいなかった

ポーランドの反露姿勢というリスク

反露政策はポーランドにとってマイナスにしかならない

ロシアとの共存以外に選択肢はない

3 「ロシア恐怖症」は米国の衰退の現れだ 111

米露を〝歴史的ペア〟として分析する
なぜか悪化した米国の対露感情
人口動態が示す米露の現状
ロシアの復活と米国の危機
冷戦を捉え直す
実は補完し合っていた米ソのシステム
「黒人も平等」が「白人間の平等」を破壊
高等教育による「新たな階層化」
〝挟み撃ち〟に遭った「白人の平等」
ベトナム戦争での敗北
「新自由主義」が生まれたのはなぜか
米ソの相互破壊
「人種」にこだわり続ける米国社会

4 「ウクライナ戦争」の人類学 133
第二次世界大戦より第一次世界大戦に似ている
軍事面での予想外の事態
経済面での予想外の事態
正しかったミアシャイマーの指摘
ミアシャイマーへの反論
米国は戦争にさらにコミットする
時代遅れの「戦車」と「空母」
米国の戦略家の〝夢〟を実現
ポーランドの存在感
〝真のＮＡＴＯ〟に独仏は入っていない
ウクライナの分割
この戦争の〝非道徳的な側面〟
ウクライナ西部のポーランド編入

ウクライナ侵攻に対する各国の反応
家族構造における父権性の強度
人類学から見た世界の〝安定性〟
「民主主義陣営VS専制主義陣営」という分類は無意味
露中の「権威的民主主義」
ロシアと中国の違い
ロシアの女性とキリスト教
現在の英米は「自由民主主義」とは呼べない
「リベラル寡頭制陣営VS権威的民主主義陣営」
日本・北欧・ドイツ
リベラル寡頭制陣営の「民族主義的な傾向」
権威的民主主義陣営の「生産力」に依存
「高度な軍事技術」よりも「兵器の生産力」
米露の生産力
ヨーロッパ経済はインフレに耐えられるか

真の経済力は「エンジニア」で測られる
本来、この戦争は簡単に避けられた
西洋社会が虚無から抜け出すための戦争
第一次世界大戦は中産階級の集団的狂気
英国は病んでいる
「地政＝精神分析学」が必要だ
なぜ中国よりもロシアが憎悪の対象になったのか
「反露感情」で経済的に自殺するドイツ？
現時点では一歩引いた方がいい
マリウポリから脱出したフランス人の証言
「ウクライナに兵器を送るべきだ」の冷酷さ
米国が〝参戦国〟として前面に
〝軍事支援〟でウクライナを破壊している米国

1

第三次世界大戦はもう始まっている

二〇二三年三月二三日収録

初　出　『文藝春秋』二〇二三年五月号に「日本核武装のすすめ」
として一部掲載

〝冷酷な歴史家〟として

まず申し上げたいのは、ロシアのウクライナへの侵攻が始まって以来、自分の見解を公《おおや》けにするのは、これが初めてだということです。

自国フランスでは、取材をすべて断わりました。メディアが冷静な議論を許さない状況にあるからです。シャルリ・エブド事件に対して「私はシャルリ」運動が盛り上がり、「表現の自由」という名の下に「反イスラム」の空気が社会を支配した時と似た状況です。この時、私は世論全体を敵に回しかねない『シャルリとは誰か？』（文春新書）という本を出しましたが、自国で自分の見解が冷静に受けとめられる望みはなく、最初に取材を受けたのは、日本の新聞でした。

このように日本は、私にとって一種の〝安全地帯〟なのです。今回取材を受けたのも、『文藝春秋』という雑誌と読者を信頼しているからです。

この戦争がいつまで続くのか、今後どうなるのか。事態は流動的で、信頼できる情報も限られ、現時点で先を見通すのは困難です。ただ、世界が重大な歴史的転換点を迎えているのは明らかで、歴史家として見れば、極めて興味深い局面に立ち会っていると言えます。とはいえ、私自身〝市民としての私〟と〝歴史家としての私〟の二つに引き裂かれています。

私は、個人的に戦争を心の底から忌み嫌っています。若い頃、私は兵役に行けませんでした。軽い精神疾患を患い、軍隊のような規律の厳しい集団生活には耐えられない、と診断されたからです。

今回の戦争は、耐えがたいものです。一般市民が殺され、女性や子供が逃げ惑い、住居が破壊される凄惨な映像を目にして、戦争が始まってからのこの一カ月は、一人の人間として〝苦難〟以外の何物でもありませんでした。

他方で、人間の歴史に常にあったのが「戦争」です。ですから「戦争」について話さなければなりません。

ここからは、ある意味〝冷酷な歴史家〟として話しますが、これは私という人間の一部であることもご理解ください。

「戦争の責任は米国とNATOにある」

今回の戦争に対する反応として、実はアメリカと西欧の間には大きな違いがあります。イギリス、フランス、ドイツなどの西欧諸国では、地政学的思考や戦略的思考がまったく姿を消してしまい、皆が感情に流されています。

それに対して、アメリカでは議論が起きています。この戦争が、地政学的・戦略的視点からも論じられているのです。

その代表格が、元米空軍軍人で、現在、シカゴ大学教授の国際政治学者ジョン・ミアシャイマーです。

彼は、ハーバード大学教授の国際政治学者スティーヴン・ウォルトと『イスラエル・ロビーとアメリカの外交政策』（講談社）という共著もある戦略的現実主義の論客で、今回の戦争に関して、「まずは感情に流されず、リアル・ポリティクスの観点から、戦争の原因を考えなければならない」と問題提起をしています。

ミアシャイマーが出した最初の結論は、「いま起きている戦争の責任は、プーチンやロシアではなく、アメリカとNATOにある」ということです。

「ウクライナのＮＡＴＯ入りは絶対に許さない」とロシアは明確に警告を発してきたのにもかかわらず、アメリカとＮＡＴＯがこれを無視したことが、今回の戦争の原因だとしているのです。

ウクライナはＮＡＴＯの〝事実上〟の加盟国だった

重要なのは、「この問題は、ウクライナが実際に加盟申請をしたかどうかという形式的な問題としては片付けられない」とミアシャイマーが指摘していることです。ロシアの攻撃が始まる以前から、「ウクライナはすでにＮＡＴＯの〝事実上〟（de facto）の加盟国」だったと彼は述べています。

もう一つミアシャイマーの指摘で重要なのは、「ウクライナのＮＡＴＯ加盟、つまりＮＡＴＯがロシア国境まで拡大することは、ロシアにとっては、生存に関わる『死活問題』であり、そのことをロシアは我々に対して繰り返し強調してきた」ということです。

非常に明快な指摘で、私も基本的に彼と同じ考えです。ヨーロッパを〝戦場〟にしたアメリカに怒りを覚えています。

とはいえ、今の時点で、こう言い切るのは勇気のあることです。

ただしアメリカには、彼の考えに賛同する人も数多くいるようです。というのも、ミアシャイマーがそう断言した二〇分ほどの動画は、アメリカを中心にわずか数日の間に一八〇〇万人もの人々が視聴した、と言われているからです。

ミュンヘン会談よりキューバ危機

「プーチンは、かつてのソ連やロシア帝国の復活を目論《もくろ》んでいて、東欧全体を支配しようとしている。ウクライナで終わりではない。その後は、ポーランドやバルト三国に侵攻する。ゆえにウクライナ問題でプーチンと交渉し、妥協することは、融和的態度で結局ヒトラーの暴走を許した一九三八年のミュンヘン会談の二の舞になる」――西側メディアでは、日々こう語られています。

これに対してミアシャイマーは、この見方は間違っていると言っています。歴史のアナロジーで言えば、「ミュンヘン会談」よりも、ソ連がキューバという〝アメリカの裏庭〟に核ミサイルを設置しようとして、アメリカがこれを許さなかった一九六二年の「キューバ危機」になぞらえるべきだ、と。

そして、この危機の起源と全体像をつかむには、冷戦終結後の歴史を振り返る必要がある、と説いています。

「ＮＡＴＯは東方に拡大しない」という約束

冷戦後、ＮＡＴＯは東方に拡大しましたが、これには、二つの画期がありました。ポーランド、ハンガリー、チェコが加盟した一九九九年と、ルーマニア、ブルガリア、スロバキア、スロベニア、エストニア、ラトビア、リトアニアが加盟した二〇〇四年です。

ドイツ統一が決まった一九九〇年の時点で、「ＮＡＴＯは東方に拡大しない」といった〝約束〟がソ連に対してなされていましたが（当時のソ連書記長ゴルバチョフに対し、一九九〇年二月九日、アメリカのベーカー国務長官が「ＮＡＴＯを東方へは一インチたりとも拡大しないと保証する」と伝え、翌日にはコール西独首相が「ＮＡＴＯはその活動範囲を広げるべきでないと考える」と伝えている——編集部注〕、にもかかわらず、ロシアは、不快感を示しながら二度にわたるＮＡＴＯの東方拡大を受け入れたのです。

その上で、二〇〇八年四月のブカレストでのＮＡＴＯ首脳会議で、「ジョージアとウクライナを将来的にＮＡＴＯに組み込む」ことが宣言されました。

その直後、プーチンは、緊急記者会見を開き、「強力な国際機構が国境を接するということはわが国の安全保障への直接的な脅威とみなされる」と主張しました。つまり、この時点でロシアは、「ジョージアとウクライナのＮＡＴＯ入りは絶対に許さない」という警告を発し、「ロシアにとって越えてはならないレッドライン」を明確に示していたわけです。

そして二〇一四年二月二二日、ウクライナで、「ユーロマイダン革命」と呼ばれる「クーデタ」——民主主義的手続きによらずに親ＥＵ派によってヤヌコビッチ政権が倒される——が発生しました。

これを受けて、ロシアはクリミアを編入し、親露派が東部ドンバス地方を実効支配しましたが、それは住民の大部分が、この「クーデタ」を認めなかったからです。

ウクライナを「武装化」した米国と英国

ウクライナは正式にはＮＡＴＯに加盟していません。しかし、ロシアの侵攻が始まる前の段階で、ウクライナは「米英の衛星国」「ＮＡＴＯの〝事実上〟の加盟国」になっていた、とミアシャイマーは指摘しています。アメリカとイギリスが、高性能の兵器を大量に送り、軍事顧問団も派遣して、ウクライナを「武装化」していたからです。「ウクライナをすぐにＮＡＴＯの一部にするとは誰も言っていない」というレトリックを用いながら、ウクライナを「武装化」し、〝事実上〟ＮＡＴＯに組み入れていたわけです。

現在、ウクライナ軍がロシア軍の攻勢を止めるほどの力を見せているのは、ウクライナ人兵士の奮闘にもよりますが、何よりもアメリカとイギリスによって効果的に増強されていたからです。

「ウクライナ軍の予想を上回る抵抗」は、まさに「アメリカとイギリスによる軍事支援の成果」なのです。

「手遅れになる前にウクライナ軍を破壊する」が目的だった

ロシアが看過できなかったのは、この「武装化」がクリミアとドンバス地方の奪還を目指すものだったからです。

フランスの『ル・モンド』紙──読者層は〝インテリ〟で反ロシア的立場──には、「クリミアへの水道供給を遮断し、クリミアからロシア人を追い出すことが、ウクライナ側の目的だ」という記事が出ていました。

要するに、二〇一四年に〝ロシアによって奪われた土地〟を奪還することが、ウクライナの政治的、軍事的目標だったのです。

こうしたウクライナの動きに対して、「我々はスターリンの誤りを繰り返してはいけない。手遅れになる前に行動しなければならない」とプーチンは注目すべき発言をしていました。つまり、軍事上、今回のロシアの侵攻の目的は、何よりも日増しに強くなるウクライナ軍を手遅れになる前に破壊することにあったわけです。

ウクライナ軍が抵抗するほど戦争は激化

こうした状況で、ウクライナ側の軍事的抵抗を西側の人間は喜んではいられない、とミアシャイマーは指摘しています。ウクライナ軍が強く抵抗するほど、ロシア軍はより攻撃的になるだけだからです。ウクライナ軍が軍事的に成功すればするほど、ロシア軍はより強い武器を用いることになり、戦闘はいっそう激化していきます。実際、その傾向がすでに見られます。

マリウポリの街が〝見せしめ〟のように攻撃されているのには理由があります。アゾフ海に面した戦略的要衝というだけでなく、ネオナチの極右勢力「アゾフ大隊」〔二〇一四年に白人至上主義極右思想の外国人義勇兵も含めた民兵組織として発足。現在はウクライナ内務省傘下にあるが、ナチスを彷彿《ほうふつ》とさせるエンブレム「ヴォルフスアンゲル」を部隊章として用いている。日本の公安調査庁も「ネオナチ組織がアゾフ大隊を結成した」としていたが、現在、この記事はHPから削除されている――編集部注〕の発祥地だからです。ロシアが言っていることに我々は耳を傾けなければなりません。「非ナチ化」とは、このアゾフ大隊を叩き潰すという意味です。

ウクライナ軍の成功の一つ一つが、この戦争をより暴力的な方向へと向かわせていきます。ロシアにとって「死活問題」、つまり「生存をかけた問題」だからです。ミアシャイマーはこのように述べていて、私もその通りだと思います。

米国にとっても「死活問題」に

ここからミアシャイマーは、「ロシアはアメリカやＮＡＴＯよりも決然たる態度でこの戦争に臨むので、いかなる犠牲を払ってでもロシアが勝利するだろう」と結論するのですが、この点は間違っているのではないでしょうか。ここに、「戦略的現実主義」と呼ばれるアメリカの地政学的思考の限界や欠点が露《あら》わになっているように思うのです。

要するに、ウクライナ問題は、ロシアにとっては「死活問題」であっても、アメリカにとっては「遠い問題」「優先度の低い問題」であるとミアシャイマーは言っているのですが、この問題は、実はアメリカにとっても、「死活問題」になりつつあるのです。

ロシアによるウクライナ侵攻は、アメリカ主導の国際秩序に直接挑みかかるもので、この点にアメリカは衝撃を受けました。

そしてアメリカを始めとする西側諸国は、ロシアに対する経済制裁やウクライナに対する軍事的、財政的支援など、直接的な軍事介入以外のあらゆる手段を用いて、ロシアの侵攻を食い止め、ロシアを敗北させようとしています。

これでもし、ロシアの勝利を阻止できなかったとしたら、どうなるのか。アメリカの威信が傷つき、アメリカ主導の国際秩序自体が揺るがされることになるでしょう。アメリカは、軍事と金融の面で世界的な覇権を握るなかで、実物経済の面では、世界各地からの供給に全面的に依存していますが、このシステム全体が崩壊する恐れが出てくるのです。ウクライナ問題は、アメリカにとっても、それほどの「死活問題」になっています。ここがミアシャイマーの見誤った点で、アメリカはこの戦争に、彼が想像する以上に深くのめり込む可能性があるのです。

この意味で、ウクライナ問題は、すでに「グローバル化」しています。

我々はすでに第三次世界大戦に突入した

ウクライナ問題は、元来は、ソ連崩壊後の国境の修正という「ローカルな問題」でした。一九九一年当時、ロシアがソ連解体を平和裏に受け入れたことに世界は驚いたわけですが、ロシアからすれば、一九九〇年代前半に行なうべきだった国境の修正をいま試みている、とも言えるでしょう。

しかしこの問題は、初めから「グローバルな問題」としてもありました。

アメリカの地政学的思考を代表するポーランド出身のズビグネフ・ブレジンスキーは、「ウクライナなしではロシアは帝国にはなれない」と述べています（*The Grand Chessboard*、邦訳『地政学で世界を読む――21世紀のユーラシア覇権ゲーム』日経ビジネス人文庫）。アメリカに対抗しうる帝国となるのを防ぐには、ウクライナをロシアから引き離せばよい、と。

そして実際、アメリカは、こうした戦略に基づいて、ウクライナを「武装化」して「ＮＡＴＯの〝事実上〟の加盟国」としたわけです。つまり、こうしたアメリカの政策こそが、本来、「ローカルな問題」に留まるはずだったウクライナ問題を「グローバル化＝世界戦争化」してしまったのです。

いま人々は「世界は第三次世界大戦に向かっている」と話していますが、「我々はすでに第三次世界大戦に突入した」と私は見ています。

ウクライナ軍は、アメリカとイギリスの指導と訓練によって再組織化され、歩兵に加えて、対戦車砲や対空砲も備えています。とくにアメリカの軍事衛星による支援が、ウクライナ軍の抵抗に決定的に寄与しています。

その意味で、ロシアとアメリカの間の軍事的衝突は、すでに始まっているのです。ただ、アメリカは、自国民の死者を出したくないだけです。

「二〇世紀最大の地政学的大惨事」

ロシアは、ある意味でエレガントな形で、共産主義体制から抜け出しました。人類史上最も強固な全体主義体制をみずからの手で打倒したのです。これは、ゴルバチョフの偉大な功績です。

そして東欧の衛星国の独立を受け入れ、さらにはソ連の解体さえも受け入れました。

バルト諸国、カフカスならびに中央アジアの諸共和国が独立を果たすことを平和裏に受け入れたのです。

それだけではありません。「広義のロシア」すなわち「スラヴ」の核心部は、ロシア（大ロシア）、ベラルーシ（白ロシア）、ウクライナ（小ロシア）からなりますが、ベラルーシとウクライナの分離独立、すなわち「広義のロシア」の核心部が分裂することまで受け入れたのです。

ちなみにソ連邦が成立した一九二二年以前に、ウクライナも、ベラルーシも「国家」として存在したことは一度もありません。

「ソ連崩壊」は、「共産主義体制の終焉」と「（ソ連という）国家の解体」という二重の意味をもっていましたが、ソ連崩壊直後の「無政府状態」によって、ソ連時代に人工的につくられた国境がそのまま尊重される結果となったのです。プーチンが、ソ連崩壊を「二〇世紀最大の地政学的大惨事」と呼ぶのは、この意味に他なりません。

ロシアによるクリミア編入も、ウクライナにおけるロシア系住民の自律性獲得のための支援（ドンバス地方における親露派の実効支配の支援）も、「人民自決権」という伝統的な考え方に照らせば、それなりの正当性をもっています。しかし西側諸国においては、「とんでもなく忌まわしいこと」とみなされているのです。

冷戦後の米露関係

冷戦後のロシアは、「西側との共存」を目指しました。けれども、ロシア人はすぐに裏切られたのです。

ソ連崩壊後、欧米はロシアに新自由主義者の助言者を送り込みました。一九九〇年から一九九七年までの間、アメリカ人顧問の助けを借りて経済自由化の乱暴な企てが推進されましたが、ロシアの経済と国家を破《は》綻《たん》させただけでした。彼らが間違った助言を行なったことで、ロシアがプーチン主導で経済的に立ち直るのに、多大な努力が必要となったのです。

さらにアメリカは「ＮＡＴＯは東方に拡大しない」と言っていたのに、実際は、可能なかぎり戦略的な優位を保って、結局、ロシアを軍事的にも囲い込んでしまいました。誰もがロシアを責めますが、アメリカと同盟国の軍事基地のネットワークを見れば一目瞭然であるように、囲い込まれているのは西側ではなく、ロシアの方です。軍事的緊張を高めてきたのは、ロシアではなくＮＡＴＯの方だったのです。

戦争前の各国の思惑

「今回の戦争がなぜ始まったか」を理解するには、まず戦争前の各国の思惑を理解する必要があります。

アメリカの目的は、ウクライナをＮＡＴＯの事実上の加盟国とし、ロシアをアメリカには対抗できない従属的な地位に追いやることでした。

それに対してロシアの目的は、アメリカの目論《もくろ》見《み》を阻止し、アメリカに対抗しうる大国としての地位を維持することでした。

ロシアは、人口規模は日本と同程度ですが、アメリカに対抗しうる勢力であり続けようとしたわけです。だからこそ、アメリカによるウクライナの「武装化」がこれ以上進むことを恐れ、ロシアは侵攻を決断したのです。

今の状況は、「強いロシアが弱いウクライナを攻撃している」と見ることができますが、地政学的により大きく捉えれば、「弱いロシアが強いアメリカを攻撃している」と見ることもできます。

超大国は一つだけより二つ以上ある方がいい

ちなみに、一つの国家、一つの帝国が、誰もブレーキをかけられない状態で世界全体に絶対的な支配力を及ぼすのが、よいことであるはずはありません。超大国は、たった一つしかない状態よりも、二つ以上ある方が、世界の均衡はとれるのです。

要するに、冷戦の勝利に酔うアメリカが「全世界の支配者」として君臨するのを阻止できる唯一の存在は、ロシアだったのです。二〇〇三年、イラクに対してアメリカが独善的に行動した時も、〝西側の自由な空間の保全〟に貢献したのはロシアでした。スノーデンをあえて迎え入れることで、結果的に〝西洋の市民の自由の擁護〟に貢献したのも、ロシアです。そのことに我々は感謝すべきなのです。

そもそも第二次世界大戦時に、みずから多大な犠牲を払ってドイツ国防軍を打ち破り、アメリカ・イギリス・カナダの連合軍による「フランス解放」を可能にしてくれたのも、ソ連でした。ソ連は、二〇〇〇万人以上の犠牲者を出しながら、ナチスドイツの悪夢からヨーロッパを解放するのに、ある意味でアメリカ以上に貢献したのです。ところが、冷戦後の西側は、その歴史をすっかり忘却してしまったかのような振る舞いをロシアに対してしてきました。

それどころか、ロシアが回復に向かうにつれて、「ロシア嫌い（ロシア恐怖症）」の感情は、弱まるのではなく、いっそう強まりました。プーチン率いるロシアの権威的民主主義体制が、それ自体として憎しみの対象になってしまったのです。西側諸国における「歴史の忘却」や「地政学的な無思慮」以上に、唖《あ》然《ぜん》とせざるを得ないのは、この「ロシア嫌い」の高まりです。

起きてしまった事態に皆が驚いた

実際に戦争が始まって何が起きたのでしょうか。

注目すべきは、第一次世界大戦の時のように、起きてしまった事態に皆が驚いていることです。

まずウクライナ人は、「アメリカやイギリスが自分たちを守ってくれる」と思っていたのに、そこまではなかったことに驚いているはずです。

ロシアの侵攻が始まると、アメリカとイギリスの軍事顧問団は、ポーランドに逃げてしまいました。ウクライナの人々は、大量の武器を手にしつつも、単独でロシアに立ち向かわなければならなくなったのです。

要するに、アメリカとイギリスは、ウクライナ人を〝人間の盾〟にしてロシアと戦っているのです。現在、アメリカとウクライナは、固い絆で結ばれているように見えますが、長期的に見て、今後、この〝裏切り〟に対して、ウクライナ人の反米感情が高まる可能性は否定できません。

米国の誤算

ではアメリカはどうだったのか。

アメリカの戦略家たちの地政学の文献を読むと、果たして彼らは真面目に考えているのか、そうでないのか分からなくなりますが、いずれにしても「戦争がアメリカ文化の一部になっている」ことが見えてきます。

アメリカは、第二次世界大戦後も、常に戦争をしてきた国です。

ここがヨーロッパとの大きな違いです。今回の戦争に関して、ヨーロッパではなく、アメリカでさまざまな議論が起きている理由もここにあります。

ヨーロッパ人と違って、アメリカ人にとっては、「他国を侵略することも普通のことだ」と考える基盤があるのです。アメリカにしてみれば、「今回はロシアが自分たちと同じようなことをしている」というわけです。

とはいえ、アフガニスタンにしろ、イラクにしろ、シリアにしろ、アメリカがこれまで行なってきた戦争は、弱小国に対する戦争でした。それに対して、今回、大国のロシアが、事実上、アメリカを敵に回しているわけです。

その意味で、これは大きな歴史的転換です。

アメリカは、これまでロシアとチェスのようなゲームを続けてきましたが、プーチンがここまでの決断をし、これほど大規模にウクライナに侵攻し、アメリカ主導の国際秩序に正面から刃向《はむ》かうとは思っていなかったでしょう。こうしたロシアの挑戦を受けて、アメリカも非常に驚いたはずです。

アメリカの外交は、現在、混乱を極めています。掌《てのひら》を反《かえ》すように、つい一カ月前まで「最大の敵」であったはずの中国に急遽《きゅうきょ》、協力を要求したり、厳しい制裁を科していたベネズエラとの関係構築を急ぐなど、アメリカの動揺が窺《うかが》えます。

皮肉な言い方をすれば、今回生じた「最大のスキャンダル」とは、これまで「アメリカの専売特許」だった他国への侵攻をロシアが行なったことでしょう。

ロシアにとっても予想外

ロシアも、西側諸国、とくにヨーロッパがこれほど強硬に出るとは予想していなかったはずです。ロシアのエネルギー資源に依存するヨーロッパ経済の脆弱《ぜいじゃく》性を確信していたからです。

しかもロシアは、軍事的にも自信を深めていました。冷戦時代にはなかったことですが、ロシアは、軍事技術において、アメリカに対して一定の優位に立っていたのです。

「空母キラー」と呼ばれる超音速ミサイルの分野では、ロシアがアメリカに対して四年は先んじていると言われています。アメリカの軍事力の中心にある「空母」も、すでに〝時代遅れの代物〟になっている可能性が高く、日本を含めて各国がアメリカから〝押し売り〟されている戦闘機F35にしても、元戦闘機設計者ピエール・スプレイなどが指摘しているように、実戦できちんと機能するのか疑わしいと言えます。

「アメリカ軍の真の実力」については、不透明さが残るのです。だからこそ、ロシアは、ジョージアにしても、シリアにしても、クリミアにしても、一定の合理性に基づきつつ、アメリカをもはや恐れていないかのような振る舞いができたのでしょう。

さらにロシアは核大国です。そうである以上、ヨーロッパは、ロシアとの経済的断交は決断できず、この問題に本格的には介入できない、と考えていたはずです。

共同体家族のロシアと核家族のウクライナ

しかし、ロシアの最大の誤算は、ウクライナ社会の抵抗力を見誤ったことです。それは「ウクライナ社会は自分たちとは異なる」と認識できていなかったからです。

人類学的な基盤からみると、ウクライナ社会は、ロシアとは異なる社会です。私の専門の家族システムで言えば、ロシアは「共同体家族」（結婚後も親と同居、親子関係は権威主義的、兄弟関係は平等）の社会で、ウクライナは「核家族」（結婚後は親から独立）の社会です。

ロシアのような共同体家族の社会は、平等概念を重んじる秩序立った権威主義的な社会で、集団行動を得意とします。こうした文化が共産主義を受け入れ、現在のプーチン大統領が率いる「ロシアの権威的民主主義」の土台となっているわけです。

ですから、西側メディアが、「戦争を引き起こした狂った独裁者」としてプーチン一人を名指しして糾弾するのは端的に言えば間違っています。プーチンのような人物が権力の頂点にいるのは、ロシア社会自身が、彼のような権威主義的な指導者を求めているからです。

他方、ウクライナ社会は、かつて共産主義国を生み出したロシア社会とは異なります。断片的なデータしかないのですが、おおよそ核家族構造を持っていて、個人主義的な社会です。アナトール・ルロワ＝ボーリューという一九世紀の歴史家が書いた

『ロシア皇帝の帝国とロシア人』の描写を読むと、少なくとも小ロシア（ウクライナ中部）は核家族社会だったことが分かります。

その意味で、プーチンが「ロシア人とウクライナ人の一体性」を言うのに対して、ウクライナ人が「自分たちはロシア人とは違う」「小ロシア（ウクライナ）と大ロシア（ロシア）は違うのだ」と主張しているのは、筋が通っています。ウクライナの核家族は、ロシアの家族システムとは異なるからです。

むしろ核家族は、イギリス、フランス、アメリカのような自由民主主義的な国家に見られる家族システムです。その点だけを取り出せば、ウクライナを〝西側の国〟とみることもできるでしょう。

「国家」として存在していなかったウクライナ

しかし、「民主主義」が成立するには、まず「国家」が建設されなくてはなりません。民主主義は、「強い国家」なしには機能しないのです。個人主義だけでは、アナーキーになってしまうからです。

問題は、ウクライナに「国家」が存在しないことです。ウクライナの核家族構造が生み出したのは、「民主主義国」ではなく「無政府状態」だったのです。

しかも、現在のウクライナは、三つの地域から成り立っています。

まず「西部」に、リヴィウを含む地域があります。ロシアからは、〝ほぼポーランド〟とみなされている地域で、ロシアがこの地域に関心をもっているとは思えません。

キエフ（キーウ）からドニプロよりさらに少し先までの「中部」には、「小ロシア」と呼ばれる地域が広がっています。ここが言わば〝真のウクライナ〟で、核家族構造が見られます。

黒海沿岸地域とドンバス地方からなる「南部・東部」は、プーチンが歴史に倣《なら》って「ノヴォロシア（新ロシア）」と呼んでいる地域です。

民族・言語・宗教の観点から言えば、ウクライナは、西部に「ユニアト信徒（ウクライナ東方カトリック教会の信徒。儀式は東方典礼を受け継ぎつつもローマ教皇の首位権を認める）のウクライナ人」、中部に「ギリシア正教のウクライナ人」、東部に「ロシア系住民（ロシア語話者）」という、三つの住民集団を抱えているのです。

このように西部（ガリツィア）、中部（小ロシア）、東部・南部（ドンバス・黒海沿岸）という三つの地域はあまりに異なっており、ソ連が成立するまで、「ウクライナ」は、「国家」として存在していなかったのです。

「親EU派」とは「ネオナチ」

ちなみに、二〇一四年のいわゆる「ユーロマイダン革命」、プーチンに言わせれば、「ヤヌコビッチ政権を違法な手法で倒したクーデタ」を最も積極的に主導したのは、フランスの国民連合（旧・国民戦線）が〝中道左派〟に見えるほどのウクライナの極右勢力です。

当時、西部ウクライナの人々は、「EU加盟」を熱望していましたが、全体として見れば、ウクライナのわずかな部分しか代表していませんでした。極右勢力が最も激烈だったのはウクライナの最も貧しい地域の一つである西部地域で、この地域こそ、ヨーロッパ、とりわけポーランド人から親近感をもたれていたのです。かつてナチスドイツの側についた西部ウクライナの極右勢力が、実質的にドイツの支配下にあるヨーロッパ、すなわち『『ドイツ帝国』と化したEU」に入りたがったわけです。要するに、「親EU派」と西側メディアで好意的に報じられた勢力の実態は、「ネオナチ」だったのです。

これに対して、中部ウクライナの人々は、元来はギリシア正教徒でもウクライナ語を話し、ロシアに対して警戒感をもちながら、西部ウクライナ人の極右思想にも距離をとっていました。

そしてクリミアやドンバス地方のロシア系住民（ロシア語話者）は、「ユーロマイダン革命」、彼らにとっては「クーデタ」――民主主義的手続きによらずにヤヌコビッチ政権が倒されたこと――を認めなかったのです。だからこそ、ロシアは住民投票を経てクリミアを編入し、親露派がドンバス地方を実効支配したのです。

ネオナチと手を組んだヨーロッパ

これに対して、ヨーロッパはどう振る舞ったのか。

二〇一四年二月の騒乱の時、まさにヤヌコビッチ政権が倒される直前に、ドイツの主導で、ドイツのシュタインマイヤー、フランスのファビウス、ポーランドのシコルスキーという三カ国の外相がキエフ（キーウ）にいましたが、これは、ウクライナの極右勢力とヨーロッパが手を結んだかのような振る舞いです。つまり、この時点ですでに、ドイツとドイツに率いられたヨーロッパは、ウクライナの平原で、ロシアを相手に潜在的な紛争状態に入っていたのです。

ヤヌコビッチ政権崩壊以降、ウクライナ東部では、言語的・文化的にロシアに近い住民が攻撃にさらされました。この攻撃は、事実上、ＥＵによって是認され、おそらくはすでに武器をもって実行されていました。だからこそ、プーチンは「ウクライナにいるロシア人の保護」を主張してきたのです。

家族構造とイデオロギーの一致

ロシアとウクライナの例からも分かるように、「人種」「言語」「宗教」以上に、その社会のあり方を根底から規定しているのは、「家族」です。

私は約四〇年前に、「家族構造」と「政治経済体制（イデオロギー）」は一致する、より正確に言えば、「近代以降の各社会のイデオロギーは、農村社会の家族構造によって説明できる」という仮説を打ち立てましたが、これはある一つの「発見」がきっかけでした。自宅のソファーに寝転がっていた時に、まさに〝啓示〟のように「外婚制共同体家族の分布図」と「共産圏の地図」が、突然、重なって見えたのです。

そして、この発見の後、パリの人類博物館に閉じ籠もり、半年かけて、地球上の家族構造を分類し、自分の直観が正しいかどうか検証しました。私の仮説を無効にする家族構造が、いつどこから出てきても不思議はなかったのですが、ヨーロッパの中心部から南部へ、アジアからラテン・アメリカへと解読作業を進めるにつれて、この仮説が強力に機能していることを確信し、『第三惑星』（その後『世界の幼少期』と合本化され、『世界の多様性』（藤原書店）として刊行）を執筆したのです。

共産主義革命は、プロレタリアート（労働者階級）の主導によって成し遂げられる、と一般に考えられてきましたが、実は、プロレタリアートを有する先進工業国では、一度も起きていません。いずれの共産主義革命も、本格的に工業化する以前の「外婚制共同体家族」の地域で起きているのです。

共産主義を生んだロシアの家族構造

先ほど言及したルロワ＝ボーリューの『ロシア皇帝の帝国とロシア人』（一八九七年～一八九八年刊）は、ロシア革命以前に、ロシアの農村社会をこう描いています。

「父や長老の権威のもとにある家父長制の大家族、ミール〔自治集会〕の権威のもとにある村落共同体が、共同体生活、つまりは組合組織に適応しやすいように、あらかじめロシア人たちを育成してきた。仕事を引き受けるとすぐに、特に村を離れるとすぐに、ムジク〔農民〕は、アルテリ〔自主的協同組合〕をつくる（略）。共産主義的な傾向をもち、連帯を実践するアルテリは、組合の自然発生的な形態、ロシア的な形態なのだ（略）。アルテリは、大家族か小さな共同体のようなもので、平等主義的で、村の親密な関係や家父長的な風習を工場にもたらしている（略）。

国家は、産業活動をも家父長的なものに保とうとする（略）。ムジクであれ、経営者であれ、あらゆる階層のロシア人は、法律には敬意を払わないが、権威には敬意を払う。（略）どんなイニシアティブも上から降ってくることに慣れているこの国が、ある日、国家社会主義の冒険的な道を歩み始め、ヨーロッパの最も民主的な諸国に追いつき、追い越すことがあっても、驚かないだろう」

ロシアの農村社会をこのように観察したルロワ＝ボーリューは、ロシアの家族構造が共産主義と親和性を持っていること、その家族構造は、少なくともウクライナ中部（小ロシア）の家族構造とは異なることに気づいていたのです。

家族構造の違いから生じたホロドモールの惨劇

こうした人類学的差異があるが故に、スターリンは、大ロシア（ロシア）では農業集団化をさほど苦労せずに進められたのに、小ロシア（ウクライナ中部）では、思い通りに行かず、これを強行する過程で抵抗する農民を皆殺しにすることになったのです〔一九三二年から一九三三年にかけて、「ホロドモール」と呼ばれる人為的な大飢饉で数百万人が犠牲になった〕。

あくまで冗談ですが、歴史的に〝兄弟関係〟にあるにもかかわらず、ロシア人はウクライナ人を「少し劣ったロシア人だ」と見ているところがあります。

ピラミッド型社会のロシア人からすると「自分勝手で、アナーキーで、ポーランド人みたいだ」と見えるわけです。父親と妻帯の息子たちが同居するという外婚制共同体家族のロシア社会は、行き過ぎた個人主義には、おのずと抵抗を覚えるのです。

加えて、帝政時代のロシア貴族は、他の息子を犠牲にして長男を優遇する長子相続制も拒んでいます。

ボリシェヴィズムが初期から定着したラトビアの家族構造

ちなみに「外婚制共同体家族」と「共産主義」の一致は、ロシアの外でも確認できます。

たとえば、外婚制共同体家族のバルト三国は、ロシア革命に積極的に関わり、一九一七年一〇月のクーデタでも、ラトビア銃兵が決定的な役割を果たしました。そのためレーニンは、ラトビア人に全幅の信頼を置くようになり、共産党の政治警察の創設にラトビア人活動家が積極的に関与しました。

それは選挙結果にも現れています。

ロシア全土における、レーニン率いるボリシェヴィキの平均得票率が二四％（サンクトペテルブルクでは五一％、モスクワでは五六％）でしかなかった一九一七年の時点で、バルト三国でのボリシェヴィキの得票率は、エストニアでは四〇％、リヴォニア〔ラトビア東北部からエストニア南部にかけての地域〕では七一％にまで達していました。ボリシェヴィズムの勢いは、家族構造に埋め込まれた共同体主義を見事に反映していたのです。

「ヨーロッパ最後の独裁者」を擁するベラルーシの家族構造

ボリシェヴィズムを生みだした「外婚制共同体家族」は、ゲルマン人の「直系家族」とモンゴル人の「父権制組織」の衝突から生まれたもので、ベラルーシ（白ロシア）と現在のロシア（大ロシア）の北西部辺りが、その発祥地域だったと考えられています。「広義のロシア」の中心部は、ロシア（大ロシア）、ベラルーシ（白ロシア）、ウクライナ（小ロシア）からなりますが、ウクライナ（小ロシア）が核家族社会であるのに対して、ロシア（大ロシア）だけでなく、ベラルーシ（白ロシア）も、外婚制共同体家族の社会なのです。

こうした家族構造を忠実に反映するかのように、ベラルーシも、一九一七年の時点で、ボリシェヴィズムが活発だった地域です。それだけではありません。今日では、「権威主義体制」にロシア以上に執着しています。

ベラルーシのルカシェンコ大統領は「ヨーロッパ最後の独裁者」などと言われていますが、ベラルーシの国民は、彼に対してとくに不満は感じていないようです。ロシアにおけるプーチンがそうであるように、ルカシェンコのような人物が権力の頂点にいるのは、ベラルーシ社会自身が、彼のような権威主義的な指導者を求めているからです。

「近代化の波」は常にロシアからやって来た

ウクライナは、歴史的、社会学的にまとまりを欠いた地域で、何らかの重要な近代化現象がここから生まれたことはありません。

一六世紀から二〇世紀にかけて、ウクライナにとって「近代化の波」は、いずれもロシアから来たのです。「共産主義」だけでなく「共産主義の打倒」とその後の「改革の波」も、モスクワで発生した動きが、まずはロシア語によってウクライナの各地に伝播《でんぱ》していきました。

ウクライナは、ロシアという〝中心〟に対して、常に〝周辺〟として「保守的」な態度を示してきたわけです。一九一七年から一九一八年にかけては、「反ボリシェヴィキ的」にして「反ユダヤ主義的」な態度をとり、逆に一九九〇年以降は、「スターリニズムへの執着」がロシアよりも強く見られました。

要するに、ウクライナは、「独自の推進力」を持ち合わせていないのです。そうであるがゆえに、みずからの独自性を主張するために、そしてロシアから逃れるために、もう一つ別の勢力の支配下に入る必要が出てきます。そこで、アメリカやヨーロッパに近づいたのです。

西側諸国は、ウクライナが、単に地理的に〝西〟に位置し、カトリックに近い「ユニアト教会」という宗派が存在することで、文化的にも〝西側に近い〟と親近感を抱いてきました。しかしそのことで、西側諸国は、一九九一年にウクライナが独立したことの主たる意味を見誤りました。「モスクワとサンクトペテルブルクで進んでいる民主主義革命からウクライナが切り離された」ということを理解できなかったのです。

国家建設に成功したロシアと失敗したウクライナ

こうした差異がソ連崩壊後のロシアとウクライナの運命を分けます。

ロシアは、一九九〇年代に危機の時代を迎えましたが、国家の再建に成功しました。「国家に依拠する秩序」という伝統があったからです。「国家によって完全に制御された軍隊」の再建にも成功しました。

それに対してウクライナは、独立から三〇年以上経過しても、十分に機能する国家を建設できないでいます。ウクライナには「国家」という伝統がなかったからです。軍隊も、アメリカやイギリスの支援なしには、再組織化できませんでした。

ウクライナが国家建設に失敗したことに関しては、アメリカ以上に、西欧諸国に重い責任があります。

ウクライナを始め旧ソ連圏は、貧しくとも、ソ連時代の遺産として教育水準が高く、ドイツを始め西欧諸国は、ウクライナから「安価で良質な労働力」を吸い寄せてきたのです。その結果、ウクライナは独立以来、人口の一五％を失い、五二〇〇万人から四五〇〇万人に激減しました。

ロシアの侵攻が始まる前から、まさに「破綻国家」と呼べる状態だったのです。しかも高等教育を受けた労働人口が大量に流出しました。本来は国家建設を担うべき優秀な若者が、よりよい人生を求めて国外に出ることを選んだのです。現在、大量の戦争難民が発生していますが、ウクライナからの人口流出は、実は以前から起きていたのです。

プーチンの誤算

おそらくプーチンとしては、「母なるロシア」に回帰させることで、「破綻国家」である「小ロシア（ウクライナ）」の秩序を立て直そうとしたのでしょうが、まったくそうはなりませんでした。ロシアが強硬に出るほど、国内に残ったウクライナの人々は、むしろ「反ロシア」に自らのアイデンティティを見出し、ナショナリストでニヒリスト（自暴自棄）の武闘派になっていったのです。

「反ロシア」の感情が、むしろ崩壊しつつあるウクライナ社会を方向づける一つの存在様式になってしまいました。これがプーチンの最大の誤算です。

しかもそこに「ウクライナ軍の武装化」という提案がアメリカとイギリスからもたらされ、ロシアを相手にした具体的な軍事目標まで与えられたわけです。

現在ウクライナの人々は、「自分の国のために死ぬこともできる」と見られていますが、この戦争が、ウクライナの人々に「国として生きる意味」を見出させたと言えるかもしれません。実に悲しいことです。

これは、まったく新しいタイプの歴史的変動です。精神面と社会面でいま起きている事態は、戦争終息後も、何十年もかけて、深く分析されるべきでしょう。ロシアは、アゾフ大隊など、第二次世界大戦時のナチズムを彷彿とさせるウクライナの極右軍事組織の台頭を警戒しているわけですが、プーチンが「ネオナチ」と呼ぶ武装勢力には、多くのロシア語話者も加わっているようです。これは、ロシアが想像していなかった事態で、「ロシア語圏社会の崩壊」の一側面と見ることもできます。

ロシアはすでに実質的に勝利している

一九一四年の第一次世界大戦の始まりを彷彿させるかのように、まさに今、「新しい地図」が描かれようとしています。ヨーロッパで起きた今回の世界大戦に関しては、今後一〇〇年の間に何千冊もの文献が書かれることでしょう。

ロシアは、マリウポリの後はハルキウも制圧しようとするかもしれません。ハルキウは大学都市で、ロシアに近く、「ロシアの都市だ」という主張もあるからです。オデッサ（オデーサ）を制圧すれば、ウクライナは海へのアクセスを失いますが、ロシアがそこまで手を広げるかは分かりません。

ただ、いずれにしても、ウクライナの全土を占領するには、ロシア軍の規模は明らかに足りません。

しかし、ロシアが奪った土地は、現時点ですでに広範囲にわたります。黒海沿岸部、アゾフ海沿岸、東部と北部を加えると、ウクライナ領土の二〇%から二五%を獲得したことになるからです。しかも産業はこれらの地域に集中しており、ウクライナの産業地域の三〇%から四〇%に相当します。「ロシア軍は、ウクライナの強い抵抗に遭い、進軍は停滞し、物資の欠如に直面している」と西側メディアでは報じられていますが、すでにこれだけの地域を占拠しているなかで、「ロシアは敗北した」と言うのは困難でしょう。過去のヨーロッパでの戦争と照らし合わせれば、今回のロシアの「戦果」は、ルイ一四世やプロイセンのフリードリヒ二世のそれより大きいとも言えるからです。

とはいえ、ロシアは、こうして手に入れたロシア語圏地域を今後どのように制御していくのか。ゲリラのような抵抗が起きるかは分かりませんが、「反ロシア」感情が一定程度、残るのは確実でしょう。

しかし、それ以上に問題にすべきは、今後「反アメリカ感情」が生まれてくるかどうかです。アメリカは、ウクライナを裏切り、ウクライナを〝人間の盾〟としてロシアと戦っているからです。

西欧の誤算

今回の事態は、西欧、とくにドイツとフランスにとっても予想外のことでした。

実際に戦争が起きてしまったことに誰もが驚いたわけですが、最も驚いたのは、西欧の人々、とくにドイツ人とフランス人です。イギリスは侵攻を事前に察知していましたが、ドイツとフランスは「まだ交渉は可能だ」と最後まで考えていたからです。

その点で、ドイツとフランスは、イギリスよりも「ナイーブだった」と言えるかもしれませんが、単にそれだけが理由ではありません。ウクライナのNATO加盟がロシアにとっていかに「死活問題」なのか、アメリカとイギリスがウクライナ軍をどれほど武装化していたのかを十分に認識していなかったからでしょう。

西欧の人々は、眼前の事態に動揺しています。まさかヨーロッパで戦争が起きるとは思っていなかったからです。東欧から西欧へ難民が押し寄せることも想像できない事態でした。

戦争が始まった時、私自身こう思っていました。「ウクライナ人が真のヨーロッパ人かどうかが分かるだろう。ウクライナ人がヨーロッパ人であれば、武器をもって戦わない」と。現在の「ヨーロッパ人」は、ある意味で〝ポスト歴史〟の時代を生きていて、〝戦争は遠い過去のこと〟にしたがっているからです。

その意味で、実際に戦ったウクライナ人は、「ロシア人」だったと言えます。この戦争が暴力的な側面を見せているのは、〝旧ソ連圏の内戦〟だからです。ただ、これはアメリカとイギリスの支援によって続けられている〝内戦〟なのです。

欺瞞に満ちた西欧の〝道徳的態度〟

暴力的な軍事攻撃に対して、ロシアを糾弾するヨーロッパの〝道徳的態度〟は、自然なリアクションです。しかし、ヨーロッパが実際に起こした行動は、無責任で欺瞞《ぎまん》に満ちています。

たとえば、「最後の一人がロシア軍によって殺されるまでウクライナに武器を供給し続ける」ことは、〝道徳的〟なのでしょうか。ロシアからの天然ガスの供給路だけは確保しながら、ロシアに対して経済制裁を科すことも〝道徳的〟ではないでしょう。ロシアの天然ガスを購入しているヨーロッパは、ある意味で、ロシアの戦争に〝出資〟しているからです。

オリガルヒへの制裁は無意味

そして最も滑稽《こっけい》なのは、プーチンに近いと言われる「オリガルヒ（新興財閥）」を追い詰めるとして、彼らの大型船を押収すべく躍起になっているフランスやイタリアの姿です。

この状況は、西欧社会がいかに金銭に対する強迫観念に囚われているかということと同時に、彼らがロシアのシステムをまったく理解していないことも露わにしました。ロシアの大富豪である「オリガルヒ」と呼ばれる人々の特徴は、政治権力を持っていないということだからです。彼らは、プーチン政権側についているかもしれませんが、政治権力は持っていないのです。

ロシアは、国家がすべてをコントロールする中央集権国家です。これこそ、ロシアの政治体制の際立った特徴なのです。

超富裕層が国家をコントロールしているのは、むしろアメリカ、ドイツ、フランスの方です。プーチンと〝その取り巻き〟に無用な制裁を科すことで、本来必要な交渉を困難にし、戦争をさらに深刻化させるのは、あまりに無責任です。

ロシアの残忍さを糾弾し、プーチンと〝その取り巻き〟を「戦争犯罪人」と名指しすることとから見えるのは、実はヨーロッパ人たちの無力感です。こうする以外に何もできないゆえに、「ロシアを悪とみなす」ことで、西欧の各国政府は、自分たちの無力さと卑劣さを隠そうとしているのです。

しかも、このような反応が、戦争をさらに深刻化させ、和平を困難にしていることにすら気づいていません。

ロシアが始めたのは、まさに「戦争」です。「戦争」というのは、実に醜く、卑劣なものです。しかし、「戦争」とはそういうものです。

もし「戦争」をさまざまな理由から始める国の指導者を裁きたいのなら、まず裁くべきはジョージ・W・ブッシュではないでしょうか。まともな理由もなしに戦争を始め、ロシアがウクライナでしている以上に醜悪な行為をアメリカはイラクでやってきたからです。

「ロシア恐怖症」

私は以前からヨーロッパにおける「ロシア嫌い（ロシア恐怖症）」の問題を指摘してきました。「ロシア恐怖症」とは、「ロシアの問題」というより「ヨーロッパ自身の問題」ではないか、と。つまり、無意味になりつつある「ヨーロッパ」という政治的・通貨的なまとまりを無理に維持するために、「ロシア」という〝外敵〟を必要としているだけではないか、ということです。

この「ロシア嫌い」は、戦争が始まって以来、いっそう激化しています。ロシア人というだけで「悪」と見做《みな》されてしまう。反ユダヤ主義を思い起こさせるほどです。現在、フランスでは、ロシアの若者に対して銀行口座の開設を拒否することまで起きています。

もともと自信を失っていたヨーロッパが、「ロシア」という〝外敵〟をスケープゴートにすることで精神の安定を保っていたところに、今回勃発した事態にさらに衝撃を受け、「ロシア嫌い」をいっそう高揚させているようです。

ヨーロッパでの「ロシア嫌い」の高まりは、実はヨーロッパにとっては損失以外の何物でもないのですが、アメリカにとっては「戦略的成果」と言えるでしょう。ロシアとヨーロッパの関係を引き裂くことが、ブレジンスキーのようなアメリカの地政学者が想定する「国益」に適《かな》うからです。

暴力の連鎖

近年、ロシアを研究してきた私は、ロシアがソ連崩壊後の混乱から回復し、社会として安定に向かっている様を観察してきました。

この「ロシアの回復」は、政治経済の日々のニュースやGDPばかりに目を奪われている西側メディアが見落としてきたものですが、人口動態にはっきり現れています。たとえば、かつて私がソ連崩壊を予言した時に依拠した「出生一〇〇〇人あたりの乳幼児死亡率」は、現在、ロシアの方がアメリカよりも低くなっているのです（ロシア四・九人／アメリカ五・六人）。

ただ、いま私が恐れているのは、西側の強硬姿勢がロシアをより暴力的にしてしまう、という「暴力の連鎖」です。確かに戦略的にはロシアの指導者層にとって必要であったかもしれないこの戦争によって、ソ連時代の暴力性がロシアに戻ってきてしまうことを恐れているのです。

現在、イギリスやフランスのメディアでは、ロシア軍がウクライナ市民を攻撃し、病院を爆破し、子供たちを殺す映像が連日流され、ロシアという国が〝怪物〟のように描かれています。

しかし、ここで行なわれているのは、まさに「戦時の情報戦」であることも忘れてはなりません。我々が目にしている報道が〝現実〟をどれだけ伝えているかは分からないのです。

ロシアとしては、少なくともシリアで生じたようなカオス状態を事前に避けるためにこそ、ウクライナへの侵攻を実行したという背景もあるのに、西側メディアからの糾弾が、むしろロシアに潜在する暴力性をいっそう呼び覚ましてしまうのではないか、と恐れています。アメリカの厳しい制裁によって、中東では比較的リベラルで民主的だったイランの体制がむしろ抑圧的になってしまったように、ある国への攻撃は、むしろその国の悪い側面を引き出してしまう。そういう悪い連鎖が必ず起きてしまうからです。

「消耗戦」が始まる

今回生じた事態に、当初は皆が驚き、感情が高ぶっていますが、少しずつ状況が落ち着いてくれば、誰もが冷静に考え始めるはずです。

この次に何が起きるのか。それを知るために何に注目するべきなのか。ここで私は「結論」を言うのではなく、「考えるための要素」をいくつか挙げたいと思います。

戦線が安定してくれば、最初に考えられるのは、「消耗戦」と呼べる状態になることです。

そして、あらゆる資源を投入しなければならない「消耗戦」では、軍事面よりも経済面が重要になってくる、あるいは軍事面も経済面に左右されることになってきます。

この点において注目すべきは、中国がロシアをどれだけ支援するかでしょう。

中国はロシアを支援する

現在、中国は、外交の場での発言に非常に気を使っています。しかし明らかなのは――これは『環球時報』を読めばすぐに分かることですが――、政府だけでなく中国の国民も、圧倒的にロシアに親近感を抱いていることです。

ですから、バイデンが中国に対し、「ロシアへの武器の供給や支援はするな」と脅迫をしたのは、あまりに滑稽です。アメリカは、つい一カ月前まで、「中国こそ第一の敵」と名指ししていたからです。

「人間は基本的に賢明である」という前提から私の思考は出発しますが、「ロシアを支援しない」という決断を下すほど、中国の指導者層が愚かだとは思えません。ロシアが倒されれば、どんな形にせよ、次に狙われるのは中国自身だからです。

もしアメリカのウクライナにおける軍事行動が成功を収めたならば、アメリカは、北朝鮮に対しても、あるいは台湾やベトナムに対しても、何か似た行動を起こすだろうと、中国の指導者層は考えているはずです。

ですから、中国は、公けの場ではロシアに交渉を求めながらも、最終的にはロシアを支援するのではないかと私は見ています。

米国と西側の経済は耐えられるのか

こうして我々はいま、歴史的に非常に興味深い状況に立ち会っています。グローバル化し、経済的に相互に依存している世界において、陣営（ブロック）に分割された対立が生じているからです。

たとえば、西側諸国は、ロシアの対外資産を凍結していますが、これは「所有権の否定」です。つまり、制裁を各国に強《し》いることは、「外国資産を補償なしに国有化してよい」という反資本主義的思想を広めることなのです。そのことにアメリカや西側諸国はどこまで自覚的なのでしょうか。

戦争の帰《き》趨《すう》をめぐって、「ロシアの侵攻にウクライナはどれほど耐えられるのか」「西側の経済制裁にロシアはどれほど耐えられるのか」ということばかりが議論されていますが、実は「これほどグローバル化した危機に、アメリカと西側はどれほど耐えられるのか」こそ問われなければなりません。

経済の真の実力はＧＤＰでは測れない

一九四五年の時点で、アメリカは、世界の工業生産の半分を占めるほどの経済大国（産業大国）でしたが、今はそうではありません。世界のＧＤＰの二五％程度を占めるにすぎず、しかもこの数値すら、ひとつのフィクションにすぎないのです。

現在は、いわば「ＧＤＰ至上主義」の時代ですが、実はＧＤＰだけでは、真の「経済力（生産力）」は見えてきません。

「付加価値の合計」であるＧＤＰは、比較的最近使われるようになった指標です。第二次大戦後の経済復興のなかで、他国がアメリカにキャッチアップしていく過程で頻繁に用いられるようになったものです。

もちろん、戦後のある時期までは、ＧＤＰも、「実際の生産力を測る指標」としての意味を持ち得ていましたが、産業構造が変容し、モノよりサービスの割合が高まるなかで、次第に「現実を測る指標」としてのリアリティを失っていったのです。

モノであれば、鉄の量にしろ、自動車の台数にしろ、水増しする余地は少なく、社会に存在する生産力（＝現実）をより忠実に反映します。ところが、サービス分野では「現実」から乖離《かいり》した過大評価が往々にしてなされてしまうのです。

これは、日本の方を相手によくする話ですが、たとえば、アメリカではとにかく裁判が多く、企業活動でも法的手続きが膨大にあります。そこで弁護士が手にする膨大な報酬も「ＧＤＰ」に含まれます。それに対して正直な方が多い日本では、訴訟も弁護士も少ない。その分、日本のＧＤＰはアメリカより少なく計上されるのですが、一体、どちらの社会の方が「生産的」と言えるのでしょうか。

ウクライナ相手に貿易赤字だった米国

アメリカは、いわば「幻想の経済大国」です。軍事と金融の面では世界的な覇権を握っていますが、それも、実物経済の面で世界各地からの供給に全面的に依存していて、その状態を破綻させないためなのです。

しかも、これは、一世代前から変わっていないアメリカ経済の姿です。二〇〇二年に執筆した『帝国以後』（藤原書店）で、私はこう述べています。

「ここにおいてアメリカ合衆国が、どれほどユーラシアの中央部に具体的な経済的プレゼンスを有していないかを、測定することができる。この地域ではアメリカ合衆国は己の生産の物質的内容の希薄さを言葉の力で埋め合わせることはできない。特にウクライナのような発展途上の国にとってはなおさらである。軍事関連の輸出と多少のコンピュータを別にすれば、アメリカは大して売り込む物を持っていない。ウクライナが必要とする生産財と消費財を輸出していないのである。金融資本はどうかと言えば、アメリカは逆に吸い上げる方で、日本とヨーロッパが引き出した資金を発展途上諸国から奪っているのである。せいぜいアメリカにできることとは、国際通貨基金と世界銀行の政治的・イデオロギー的統制を通して資金供給力の幻想を振りまくことである」

「アメリカ合衆国はウクライナからの輸入の二二%しか輸出で補填していない。この過程の動態面も無視できない。アメリカ合衆国がウクライナとの貿易で赤字となったのは、一九九四年からなのである。一九九二年と一九九三年には、わずかながら黒字であった。消費はますます明瞭に、国際システムの中におけるアメリカ経済の基本的な得意分野となりつつあるのである。（略）アメリカ合衆国は世界中至るところで略奪者であるが、旧ソ連圏でもやはり略奪者なのである」

要するに、アメリカは、ソ連崩壊から間もないウクライナを相手に貿易赤字となるほど、生産力をもたない国だったわけです。

経済における「バーチャル」と「リアル」の戦い

現在、ウクライナ戦争が「グローバル化＝世界戦争化」し、さらに「消耗戦」となることで生じつつあるのは、経済における「バーチャル」と「リアル」の大いなる対立です。

ＧＡＦＡなどを生み出したように、アメリカが、技術的にダイナミックな国であることは確かです。しかし同時に、中年白人の平均寿命が低下するなど、「先進国」ではおよそ考えられないことが起きています。カリフォルニアで計画されている高速鉄道も完成できるのか怪しい状況です。国内の産業基盤は、それほど弱体化しているのです。

アメリカが誇る「軍事力」にしても、それを支えるのは、最終的には「リアルな産業」です。アメリカがこの分野でも、長期的に優位を保てるのかは分かりません。

経済における「バーチャル」と「リアル」の対立、言い換えれば、「アメリカ」と「中国・ロシア」の対立は、かつての冷戦とは異なる、歴史的に新しい事態です。経済的な耐久力が課題となる「消耗戦」が、グローバル経済の相互依存の世界で生じているからです。

対露制裁で欧州は犠牲者に

これからとくに注目すべきなのは、ヨーロッパの人々がどう振る舞うかでしょう。

ヨーロッパの人々は、突然の事態に驚き、いまは感情の波に飲まれている状態です。しかし、彼らも次第に気づくはずです。対ロシア制裁で最終的に犠牲者になるのは、ヨーロッパ自身である、と。ヨーロッパは、ロシアと経済的な相互依存関係にあるからです。

ヨーロッパとロシアは、経済協力を大いに進めるべきなのです。ここがヨーロッパとアメリカの違いです。アメリカとロシアの経済的な結びつきは、ほとんどないからです。経済制裁によって、ヨーロッパとロシアは、互いに傷つけ合うことにしかなりません。その最初の象徴が、ロシアとドイツを結ぶ天然ガス海底パイプライン「ノルド・ストリーム2」の停止でした。

ちなみに、関連企業に制裁をちらつかせるなど、このパイプラインの開通――要するにドイツとロシアの接近――に、ロシアの侵攻以前からずっと警戒していたのが、アメリカでした。ここにアメリカの思惑が透けて見えます。

米国の戦略目標に二重に合致したウクライナ

冷戦終結後、アメリカは、ロシア問題に関して二つの戦略目標を持っていました。

第一は、ロシアの解体です。

第二は、冷戦から受け継いだ対立構造をできるだけ長く保持して、アメリカとロシアとの緊張を一定程度、維持することによって、ヨーロッパとロシアの接近――すなわちユーラシア西部の再統一――を阻止することです。

まさにこの二つの戦略目標を同時に達成するために選ばれたのが、「ウクライナ」だったと言えます。

これは、先に触れたブレジンスキーの本を読めば一目瞭然で、私自身も二〇〇二年の時点で、次のように指摘していました。

「ブレジンスキーの計画は簡潔にして明瞭である。（略）ウクライナを西欧の側に併合し、ウズベキスタンを利用して中央アジアをロシアの影響圏から離反させることによって、ロシアに止めをさし、ロシアの核心部の解体をもたらすこと」（『帝国以後』）

共産主義圏が崩壊した後、ブレジンスキーが気にしていたのは、アメリカからは遠く離れている「ユーラシアの再統一」の動きです。

しかし、この裏には、ブレジンスキーが明瞭に述べていないアメリカの動機がありました。アメリカの経済（消費）を維持するために、アメリカは、世界の富への統制力を政治的・軍事的に確保しなければならないという必要性です。

だからこそ、アメリカは、ユーラシア大陸に戦略的関心を持ち続けたのです。というのも、世界の人口と経済活動の主要部分は、ユーラシアに存在しており、アメリカ国民の生活水準を維持するために不可欠な商品とカネは、ユーラシアから流入する仕組みになっているからです。

要するに、ヨーロッパとロシアの接近、日本とロシアの接近——ユーラシアの再統一——は、アメリカの戦略的利益に反するのです。そこで平和的関係が築かれてしまえば、アメリカ自身が〝用済み〟になってしまうからです。アメリカ軍の〝プレゼンス〟を維持するために、言い換えれば、ユーラシアにおいてアメリカ軍が〝必要〟とされる状況を無理にでも持続させるために、アメリカは、ユーラシアにおける軍事的・戦略的緊張を維持する必要があるというわけです。「世界の安定にアメリカが必要」というレトリックが真に言わんとするところは、「世界の不安定がアメリカには必要」ということなのです。

NATOと日米安保の目的は日独の封じ込め

極論すれば、NATOや日米安保は、ドイツや日本という「同盟国」を守るためのものではありません。アメリカの支配力を維持し、とくにドイツと日本という重要な

「保護領」を維持するためなのです。アメリカが「反ロシア」という立場に立つ動機の大部分も、ドイツと日本をロシアから遠ざけ、アメリカ側に引き留めることにあるのです。

ですから、今回の戦争の初期段階で、「この戦争はアメリカの戦略家たちの一つの成功事例となるのではないか」と私は考えました。ノルド・ストリーム2が止められ、ヨーロッパで「ロシア嫌い」の感情が激化したからです。

しかしその後、アメリカの外交が動揺している様子が伝わってきました。それまで敵視していたはずのベネズエラ、イランなど石油産出国との関係を慌てて改善しようと動き出したのです。これは、事態が彼らの想定を超えてしまったことを意味しています。

現実から乖離したゼレンスキー演説

いずれにせよ、戦線が安定し、事態が収束した暁《あかつき》には、ヨーロッパは、自分たちが無駄な犠牲を払っていることに気づくでしょう。とくにドイツのロシアへの態度が変わることでしょう。

そこでヨーロッパの人々は、この戦争から二つ目の教訓を得るはずです。一般的に「無政府状態の国家」では、軍隊が国の主導権を握っています。ですから、ウクライナのゼレンスキー大統領が、現時点でどの程度の権力を握っているのかは分かりません。ウクライナ軍を完全に掌握しているのかどうかも不確かです。

しかし、ゼレンスキー大統領が多くの演説で繰り返し求めていることは、はっきりしています。ヨーロッパを戦争に引き込むことです。「ウクライナの次にロシアに狙われるのはあなた方の国だ」と、ヨーロッパ諸国を戦争に引き込もうと必死になっているのです。

ところが、実際の戦況が示しているのは、ゼレンスキーの主張とは、正反対の事態です。

ロシア軍は、早い段階でウクライナ領土の約二〇％を掌握はしましたが、キエフ（キーウ）攻略は完全な失敗に終わり、これをもって、「ロシア軍は思ったより弱かった」「ロシアの軍事的失敗」という分析がなされています。

しかし、もしこの分析が正しいのならば、「ロシアはヨーロッパにとって軍事的脅威ではない」ことを意味しています。それと同時に、「（ロシアの脅威に対する）ヨーロッパの再軍備化」もそこまで必要ではない、ということになります。この点は、今後、必ずはっきりしてくるでしょう。

そもそも、ロシアがウクライナ以外の領土への侵攻を考えているとは、私には思えません。すでにその人口規模から見て広大すぎる領土を抱え、その保全だけで手一杯だからです。

エストニアとラトビアという例外

ただ急いで付け加えると、例外が二カ国だけあります。エストニアとラトビアです。ここにはロシア系住民が住んでおり、ロシア系住民が「二流国民」という扱いを受けている面があるからです。

この二国は、ロシアのサンクトペテルブルクから近いところに位置しています。ちなみに先に触れたように、ラトビアは、皮肉にも一九一七年の選挙で、ロシア国内で最もボリシェヴィキへの投票率が高かったところでもあります。

いずれにしても、感情の波がいったん収まった時点で、アメリカとヨーロッパの根本的な利害の違いが現れてくるでしょう。

ここで期待されるのは、ドイツの動きです。というのも、ドイツこそがロシアとの経済パートナーの代表であり、フランスは二次的なパートナーにすぎないからです。この世界大戦の終息のために、ドイツは重要な役割を担えるはずです。

予測可能な国と予測不能な国

では今後、各国はどう動くのか。

行動が予測可能な国と予測不能な国があります。

西側メディアでは、毎日のように「プーチンは狂っている」「なぜロシアがウクライナを攻撃したのか理解できない」と言われていますが、ロシアは一定の戦略的合理性に基づいて行動しています。

この点に関して、私は再びミアシャイマーに同意します。ロシアは今回、防衛戦略を容赦ない形で実行したわけです。ロシアの行動は「合理的」で「暴力的」と称することができます。つまり予測はしやすいのです。

ヨーロッパの行動も、「卑怯」ではあっても、半ば予測可能です。

ロシアと同様に「合理的」で「暴力的」な中国の行動も、ある程度、予測可能でしょう。

次に、「合理的」かどうかが不確かな国を挙げたいのですが、これらの国の行動こそ、多大なリスクを孕《はら》んでいます。

予測不能な国は、まずウクライナです。より正確に言えば、「ウクライナ国民」というより、「ウクライナ政府の指導者層」です。

彼らは、アメリカとイギリスに背中を押されて、クリミアへの給水を断とうとしたり、ドローンを入手して、クリミアとドンバス地方のロシアからの奪還を目指したわけですが、軍事力や人口規模から見て、非合理的で無謀な試みだと言わざるを得ません。そもそも、この国は軍が仕切っているのか、大統領が率いているのか、分からないところがあります。

ポーランドの動きに注意せよ

非合理的な行動で地政学的リスクになりかねないもう一つの国が、ポーランドです。ロシアを相手に無謀な戦争を繰り返して負け続け、自ら国家として崩壊して、プロイセン王国、ロシア帝国、オーストリアに分割されたことのある国です。

ポーランド、ルーマニア、ウクライナというバルト海から黒海に至るゾーンは、核家族社会で、一八世紀以来、「国家」が十分に機能してきませんでした。

過去にユダヤ人の大量虐殺も起き、地政学的リスクを抱えたゾーンです。外交的に注視する必要があり、ポーランドとウクライナが協働する動きを見せたら「危険あり」とみなすべきでしょう。

プーチンの「核発言」も、私が思うに、何よりも「動くなよ！」というポーランド向けのメッセージでした。プーチンの発言の後、ポーランドは、ウクライナへの戦闘機の直接供与を撤回しています。この時、ポーランドは合理的に行動したわけですが、潜在する「反ロシア感情」がいつまた爆発するかは分かりません。

最も予測不能な米国

しかしそれ以上に、予測不能で多大なリスクとなり得るのがアメリカの行動です。プーチンを中心とするロシアと対照的に、中枢がないからです。アメリカの〝脳内〟は、雑多なものが放り込まれた〝ポトフ〟のようです。

「ロシアの体制転換」など、無責任で予測不能な失言を繰り返すバイデン大統領は何を考えているのかよく分かりません。

トランプにしても、大統領の地位にあったにもかかわらず、思うような対露友好外交を展開できませんでした。アメリカでは誰が権力を握っているのか分からないのです。

思想的にも、ミアシャイマーのような冷静な現実主義者がいる一方で、アメリカには国務次官のビクトリア・ヌーランド（父方の祖父はロシアから移民したウクライナ系のユダヤ人）のような、反トランプで、断固たるロシア嫌いのネオコンもいて、破滅的な対外強硬策を後押ししています。ヌーランドは、ウクライナ情勢の担当官で、二〇一四年の「クーデタ」にも深く関与したと指摘されています。

そもそもアメリカにおける「反ロシア」の動きは、バイデン政権以前から始まっていましたが、ここにきて、攻撃的な反ロシア、反プーチンの〝核〟がよりいっそう可視化されてきました。彼らはおそらくロシアの体制、プーチン体制の破壊を望んでいます。

「ネオコン一家」ケーガン一族

このネオコンたちは、ブッシュの時代は共和党の側についていましたが、反トランプの立場に立ってから、ヒラリー・クリントンと民主党の側に転身しています。

国務次官ヌーランドの夫は、ネオコンの代表的論客であるロバート・ケーガンです。彼はイラク戦争を支持し、「世界の民主主義の行方は、すべてアメリカ軍にかかっている」と妄想しているような人物です。

ロバート・ケーガンの弟は、軍事史専門家のフレデリック・ケーガンです。そのフレデリックの妻は、戦争研究所所長のキンバリー・ケーガンで、ケーガン一族は、まさに「ネオコン一家」なのです。

西側メディアでは、連日、戦争研究所が作成した「ロシア侵攻図」が示されていますが、この研究所が「反ロシア」「親ウクライナ」の立場に立っていることは明らかで、これを鵜《う》呑《の》みにしてよいのか疑問が残ります。

そしてロバート・ケーガンとフレデリック・ケーガン兄弟の父は、ドナルド・ケーガンで、ギリシア古代史の大家です。軍事史の専門家でもある彼が、ケーガン家をネオコンへと転身させたのです。

この父ドナルド・ケーガンと二人の息子たちのことを思うと、アメリカの「反ロシア」のネオコンの中心部に、皮肉にも、権威的な父親と二人の息子という「ロシア的家族構造」が見えるようで、奇妙な感覚に囚われます。

いずれにせよ、現在、アメリカの地政学のエスタブリッシュメントの世界には、緊張や迷い、そして不確実性が見られます。一方に合理的で現実主義的な傾向があり、他方に直接行動主義的で過激なネオコン的傾向があり、どちらが最終的に主導権を握るのか分からないのです。それゆえに、暴力的であっても、ロシアが求めていることは明確である一方で、アメリカが考えていることは一向に見えてきません。

今回の戦争が「世界戦争化」し、アメリカにとっても「死活問題」となってしまったなかで、アメリカのエスタブリッシュメントがこうした不確実性を抱えていることは、世界の安定にとって大きなリスクとなっています。

世界を〝戦場〟に変える米国

アフガニスタン、イラク、シリア、ウクライナと、アメリカは常に戦争や軍事介入を繰り返してきました。こうなってしまったのは、戦争で間違いを犯しても、大きな島国のような存在で、脅威となる隣国もなく、世界一の軍事大国でもあるアメリカ自身は侵攻されるリスクがないからです。どんな失敗をしても、生き延びられてしまうのです。だから間違いを繰り返すのです。

共産主義が崩壊してから、アメリカは世界中で戦争状態を維持させてきました。みずから関わった地域をすべて〝戦場〟に変えてしまったのです。中東の各地に戦争をもたらし、今回はロシアをも戦争をせざるを得ない状況に追い込み、ヨーロッパにまで戦争をもたらしました。東アジアにも戦争がもたらされる可能性は十分あるでしょう。

「戦争」はもはやアメリカの文化やビジネスの一部になっていると言っても過言ではありません。

アメリカは「世界を戦争へと誘う教育」を世界各地で進めているかのようです。ですから、アメリカによる「戦争教育」を世界が受け入れるのかどうかこそが問われるべきなのです。

米国の〝危うさ〟は日本にとって最大のリスク

こうしたアメリカの行動の〝危うさ〟や〝不確かさ〟は、同盟国日本にとっては最大のリスクで、不必要な戦争に巻き込まれる恐れがあります。実際、ウクライナ危機では、日本の国益に反する対ロシア制裁に巻き込まれています。

当面、日本の安全保障に日米同盟は不可欠だとしても、アメリカに頼りきってよいのか。アメリカの行動はどこまで信頼できるのか。

こうした疑いを拭えない以上、日本は核を持つべきだと私は考えます。

日本の核保有は、私が以前から提案してきたことで、今回の危機で考えを改めたわけではありませんが、現在その必要性は、さらに高まっているように見えます。

日本において「核」は非常にセンシティブな問題だということは承知しています。約三〇年前に初訪日した際、私が真っ先に訪れたのも広島でした。しかし、そもそも「核とは何か」を改めて冷静に考える必要があります。

核を持つとは国家として自律すること

核の保有は、私の母国フランスもそうであるように、攻撃的なナショナリズムの表明でも、パワーゲームのなかでの力の誇示でもありません。むしろパワーゲームの埒《らち》外《がい》にみずからを置くことを可能にするものです。「同盟」から抜け出し、真の「自律」を得るための手段なのです。

過去の歴史に範をとれば、日本の核保有は、鎖国によって「孤立・自律状態」にあった江戸時代に回帰するようなものです。その後の日本が攻撃的になったのは「孤立・自律状態」から抜け出し、欧米諸国を模倣して同盟関係や植民地獲得競争に参加したからです。

つまり核を持つことは、国家として〝自律すること〟です。核を持たないことは、他国の思惑やその時々の状況という〝偶然に身を任せること〟です。アメリカの行動が〝危うさ〟を抱えている以上、日本が核を持つことで、アメリカに対して自律することは、世界にとっても望ましいはずです。

ウクライナ危機は、歴史的意味をもっています。第二次大戦後、今回のような「通常戦」は小国が行なうものでしたが、ロシアのような大国が「通常戦」を行なったからです。つまり、本来「通常戦」に歯止めをかける「核」であるはずなのに、むしろ「核」を保有することで「通常戦」が可能になる、という新たな事態が生じたのです。これを受けて、中国が同じような行動に出ないとも限りません。これが現在の日本を取り巻く状況なのです。

ですから日本には再軍備が必要となるでしょう。そしてもし完全な安全を確保したいのであれば、核兵器を保有するしかありません。

自律を選んで核兵器を保有するのか、あるいは偶然に身を任せるのか。

偶然に委《ゆだ》ねるというのも、ひとつの道ではあるかもしれません。日本は、地震など、いつ起きるかわからない災害という偶然とともに生きてきた国であるからです。しかし昨今のベネズエラに対するアメリカの行動ひとつとっても、こんな身勝手に振る舞う国に自国の運命を委ねてよいのか、と不安を感じざるを得ません。

「核共有」も「核の傘」も幻想にすぎない

いま日本では「核シェアリング」が議論されていると聞いています。しかし、「核共有」という概念は完全にナンセンスです。

「核の傘」も幻想です。使用すれば自国も核攻撃を受けるリスクのある核兵器は、原理的に他国のためには使えないからです。中国や北朝鮮にアメリカ本土を核攻撃できる能力があれば、アメリカが自国の核を使って日本を守ることは絶対にあり得ません。

自国で核を保有するのか、しないのか。それ以外に選択肢はないのです。

ヒロシマとナガサキは、世界でアメリカだけが核保有国であった時期に起きた悲劇です。核の不均衡は、それ自体が不安定要因となります。中国に加えて北朝鮮も実質的に核保有国になるなかで、日本の核保有は、むしろ地域の安定化につながるでしょう。

米国に対する怒り

ヨーロッパで壊滅的な政策を進めているアメリカは、果たしてロシアと戦争をしているのか、あるいはドイツに戦争を仕掛けているのか分からないようなカオスに陥っています。

つまり、日本が抱えるジレンマは、日本だけのものではなく、ヨーロッパに対しても問いかけるべき問題なのです。

私は今、怒っています。今回、アメリカは、私の住むヨーロッパで戦争を始めたからです。これによって、私のアメリカに対する敵意は絶対的なものになりました。

しかもそのアメリカが、イギリスの支援を受けていたという点も、個人的にショックな出来事でした。「イギリスは常にバランスがとれて合理的に振る舞う国である」

というのが、私が長年抱いてきた信念でしたが、そんな考えはもう捨てようと思います。

西洋は「世界」の一部でしかない

ここで日本は何をしようとしているのでしょうか。ヨーロッパで起きている戦争のために日本がロシアに制裁を科すというのは、少し考えてみると滑稽なことです。西洋が「世界」を代表していると西洋自身は自惚《うぬぼ》れていますが、それは、対ロシア制裁に参加している広義の「西洋」、すなわちアメリカ、ヨーロッパ、オーストラリア、ニュージーランド、そして日本と韓国にすぎません。西洋は「世界」の一部でしかないのです。

国連総会での対ロシア決議やＧ20での議論を見ても、世界の大半の国は、むしろロシアの勝利を望んでいるようにも見えます。彼らは、「西洋の傲慢さ」にうんざりしているのです。今回の戦争において、西洋が勝利する可能性もありますが、同じだけ敗北する可能性もあるのです。

長期的に見て国益はどこにあるか

現在、日本も対ロシア制裁に加わっていますが、この危機が去った後も、中国とロシアは同じ場所に存在し続けます。台頭する中国と均衡をとるためには、日本はロシアを必要とする、という地政学的条件に変わりはありません。

西側に追い込まれたロシアが中国と接近し、中国に軍事技術を提供することこそ、日本にとっての悪夢です。

ロシアの行動が「許せない」ものだとしても、アメリカを喜ばせるために多少の制裁は加えるにしても、ロシアと良好な関係を維持することは、あらゆる面で、日本の国益に適います。

感情的にならざるを得ない状況のなかでも、決して見失ってはならないのは、「長期的に見て国益はどこにあるか」です。

2

「ウクライナ問題」をつくったのはロシアでなくEUだ

原題　We Live in a World of Ailing Powers
聞き手　マチェイ・ノーウィッキ Maciej Nowicki
初出　Aspen Review
二〇一七年三月一五日

——「超新星は、大爆発時に強烈な閃光を放ちますが、その一瞬後には、バラバラに砕け散ります。今日のＥＵは、まさに超新星のようなものです」——エマニュエル・トッドは、ポーランド人のジャーナリスト、マチェイ・ノーウィッキによるインタビューでそう語った。

「共同体」でなく「国益追求の道具」と化したＥＵ

——ウクライナ問題に対するＥＵの行動をどう評価していますか？

ウクライナに対するＥＵの立場は、非常に曖昧《あいまい》でカオスと化しています。といっても、驚くにはあたりません。そもそもＥＵがまだ存在しているのかどうかすら、怪しいのですから。

現在のヨーロッパは「共同体」ではありません。ＥＵは、それぞれの国家がそれぞれの「国益を追求するための道具」となっています。

ベルリンがＥＵに押し付けた経済政策は、ドイツ人だけの利益になるものでした。

ウクライナ問題でも同様です。事の始まり、すなわち二〇一四年二月に、ウクライナのヤヌコビッチ政権が崩壊した時、ドイツのシュタインマイヤー外相、ポーランドのシコルスキー外相、フランスのファビウス外相の三人がキエフ（キーウ）にいた、という事実から話を始めましょう。

ウクライナに関心をもつ三国

――しかし、フランスのファビウス外相は一日で帰っていますが……。

フランスは完全に混乱した国です。国内政策にも対外政策にも目標がなく、できることはただ一つ、ドイツの方針に従うことだけです。

はっきりさせておきたいのは、ファビウス仏外相を言わば「手荷物」としてキエフに連れて行ったのは、シュタインマイヤー独外相だったことです。

そもそもファビウスはキエフに行く必要があったのでしょうか。フランス人にとって、ウクライナはそれほどの重要性はないのです。西ヨーロッパ全体にとっても同様です。

ウクライナに関心があるのは三国だけで、その三国にとってはウクライナは特別な存在です。歴史的で明白な理由からドイツとポーランド、そして不可解な理由からスウェーデンがウクライナに関心をもっています。そしてこの三国は、ウクライナに関して自分たちに都合のよい政策を追求するために、EUを利用したのです。

当初は「ロシアとEUの問題」ではなかった

当初、「ウクライナ問題」は、ロシアとEUの間で問題にはなっていませんでした。この三国が圧力をかけた結果、そのようになったのです。しかもかなり悲惨な仕方でそうなってしまいました。

クリミア併合後、EUがプーチンを窮地に追い込むことで、プーチンとしても対応を強いられたのです。そしてEU側が、この戦いに敗れましたが、EUは、プーチンだけが軍隊を持っていることに、事後になって初めて気づきました。

ヨーロッパは、軍事力を持たずに拡大政策をとるという、歴史的にも新しい、そしてあまりに不条理なことを試みたわけです。彼らはみずからの妄想を信じ込んで、「今の世界で意味をもつのは経済だけだ」という結論に至っていたのでしょう。

EUがウクライナを破壊した

――例えば二〇〇四年頃の時点では、ヨーロッパの「軍事資源なき拡張政策」も、うまく機能していたのではないでしょうか。

それがウクライナの場合、なぜか失敗しました。

ウクライナは独自の力学をもち合わせていません。自力では近代化できない、まとまりを欠いた地域で、「近代化の波」は常に外からやってきました。

ウクライナがロシアの軌道から抜け出すには、他の大国の軌道に飛び乗るしかありません。しかし、それはどこの国なのか。

アメリカは遠すぎます。ヨーロッパは軍事大国ではないし、資金力も欠いています。仮に資金力があったとしても、ウクライナを衛星国とするための投資として、何十億ユーロも投入するつもりはないでしょう。

その結果、何が起きたか。ＥＵの最近の行動が達成したことはただ一つ、ウクライナの崩壊を加速させたことです。ヨーロッパは、自由主義、資本主義、調和のとれた空間に別の国家を引き込むという、あのいつもの夢、意図をもって行動したのです。そして、もともと孵化《ふか》する暇もないほど緊張状態にあった国家を破壊してしまったのです。

今日のＥＵは「超新星」のようなもの

――あなたはＥＵを非難していますが、ロシアは非難しないのですか。結局のところ、ウクライナの解体を目的としているのは、ウクライナ東部におけるモスクワの行動なのですから……。

個々の事例に囚われすぎないようにしましょう。何かより大きな問題があることを理解すべき時です。

一九八九年の時点に戻りましょう。

共産主義の崩壊後、ロシアは信じられないほど弱体化しました。そして、パワーバランスの重心はＥＵの方へ傾き、ヨーロッパは統一され、政治的アクターとなったのです。

しかし、今日、私たちは異なる時代を生きています。フランスを例にとると、有権者の八〇％がオランドは馬鹿げていると考えています。国内産業は衰退し、失業率は歴史的な高水準にあります。欧州議会選挙には誰も興味を示しません。フランスでは、「ヨーロッパ」は、すでにポジティブな価値観とは無縁の存在なのです。

フランスだけではありません。ほとんどのＥＵ諸国がこのような状況です。南欧の市民は「人間以下の存在」になり下がり、ＥＵ全体は、「強者――今日ではドイツ――が常に正しい」という、うんざりするような階層化を生みだすマシンと化しています。

ＥＵは崩壊しつつあるのです。そして、ＥＵによるウクライナとの駆け引きやヤヌコビッチ政権の転覆は、私には「超新星現象」を思い起こさせます。超新星は非常に明るい閃光を放ちますが、しばらくすると崩壊してしまう。今日のEUは、そのような「超新星」なのです。

人口動態が示すロシアの復活

――ではロシアはどうですか。

ロシアは復活しつつあります。「ロシアはひどい困窮状態にあり、良いことは何も生じておらず、さらなる衰退しかありえない」と皆に信じ込ませるために、膨大な時間とエネルギーが費やされました。「プーチンがいかに嫌な人物であるか」という記事が何百万も書かれたのです。

もちろん、ロシアは、我々が通常イメージするような「民主主義国家」とは異なります。個人よりも集団が重視される、やや暴力的な国です。しかし同時に、現在のロシアは、その歴史上、最も自由な国として存在しています。ロシア帝国のツァーリズム体制下や、とりわけソ連の共産主義体制下では、今よりはるかに酷い状況にありました。

それだけではありません。一九七六年、私は人口統計に基づいてソ連の崩壊を予言する本を書きました〔『最後の転落』藤原書店〕。死亡率が上昇し、出生率が低下していたのです。しかし現在では、逆に死亡率が下がり、平均寿命も延びています。

——とはいえ、アルコール依存症や精神疾患の割合は驚くほどの高水準です。

その通りです。しかし、状況は良い方向に向かっているのです。暴力行為、殺人、アルコール依存症は減少しています。出生率は一・六五で、まだ十分ではありませんが、ポーランドの出生率はわずか一・三です。失業率は四%です。それに加えて、一九九〇年代、ロシアは信じられないほど凋落《ちょうらく》していましたが、今のロシアには「二〇年来の危機を乗り越えた」という自信があります。この国には、今日、希望があるのです。つまり、ヨーロッパの東側で、大国が生まれ変わり、その周辺国を再び惹《ひ》きつける存在になっているのです。

「国家建設」に失敗したウクライナ

——しかし、プーチンは「ウクライナという国は夢物語にすぎず、ウクライナ人など存在しない」と繰り返し強調しています。

ロシアでは、国家が効果的に再建されましたが、ウクライナでは、それに失敗しました。

もちろん、ウクライナの文化というものは存在します。人類学的なパターンは、ロシアとは異なり、個人主義的でアナーキーで、ポーランドのそれに近いと言えます。しかし、ウクライナは根本的問題を抱えています。すなわち、ロシアがソビエト連邦ができる以前から存在していたのに対して、ウクライナは、国として実質的には存在していなかったのです。そして共産主義の崩壊という大地震、大きな変化の後に、そこからの回復は果たせませんでした。ここでは、ゼロから国家を構築する必要がありましたが、このプロジェクトは完全に失敗したのです。ウクライナはいまや「破綻国家」となっています。

ウクライナからの大量人口流出

我々は「ロシアの人口問題」を常に耳にしてきましたが、むしろ問題にすべきは「ウクライナの人口問題」です。ソ連崩壊後、ウクライナの人口は一二・五％も減少しているのです（二〇一七年時点）。これは、つい最近までのロシアが直面していた「通常の人口危機」とは次元が異なります。大規模な人口流出が起きたのです。

ヨーロッパ、カナダ、アメリカは、ウクライナ人口の最良部分——すなわち若者と高等教育を受けた人々——を奪っています。学位を持つ若者が国外に逃げ出す社会が成功する可能性は、ほとんどありません。

もうひとつつけ加えるべきことがあります。ソ連が崩壊した一九九一年当時、ウクライナ東部のロシア語を話す住民は、「自分たちがロシアの外にいること」に気を揉むことはありませんでした。一九九〇年代は、ロシア人自身も含めて、誰もが「ロシアは解体されるべきだ」と思っていたのです。当時、ロシアは国家として崩壊していたからです。

現在は、ウクライナが崩壊しつつあります。なぜ、ウクライナの人々はロシアに戻りたがるのでしょうか。プーチンに操られたからではなく、ロシアが再び魅力的な国になっているからです。

ロシアはウクライナの分割を望んでいなかった

――この危機はいつまで続くのでしょうか。「ウクライナを西側に引き込もうとしても、ウクライナの一部があまりにも深くロシア性に根ざしているため、うまくいくはずがない」とあなたは常々《つねづね》主張しています。しかし、プーチンもまったく同じ問題を抱えているのではないですか。ドミトリー・トレーニンは、「ウクライナの吸収はロシアにとって非常に困難で、ウクライナ東部を安定化させるにはモスクワが持つ以上の資金が必要であり、さらに反ロシア色の強いウクライナ西部を切り離さなければならない」と強調しています。

ウクライナの分割をロシアは望んではいない、と私は見ています。彼らは、ウクライナは一様ではないこと、とくに西部の人々は絶対にロシアに組み込まれたくないことを熟知しています。むしろウクライナが連邦制をとり、ロシア語を話す州を通じてウクライナをコントロールすることをロシアは望んでいるはずです。つまり、ロシアのプロジェクトは、ウクライナの国家統合の維持を前提としているように見えます。

――しかし、ロシアが本当にそのような計画をもっているとしても、それをいかにして知り得るのでしょうか。また仮にそのような計画をもっていたとしても、すべてがその計画通りに進むのでしょうか。プーチンはヤヌコビッチを通じてウクライナを支配するつもりだったようですが、ご存知のように、ヤヌコビッチ政権は倒されました。

おっしゃる通りです。そうなる保証はどこにもありません。歴史という列車は止まれないかもしれません。

ロシアは、ウクライナのドンバス地方を手に入れるかもしれません。ロシア語を話す住民は、「何が何でもロシアという母国に帰りたい」と望んでいるからです。彼らにとっては、それが自尊心を取り戻す唯一の方法なのです。

すると、ウクライナのさらなる崩壊が起こるでしょう。キエフ（ウクライナ中部）の住民とリヴィウ（ウクライナ西部）の住民は、まったく別の〝種族〟だからです。そして、彼らは平和に一緒に暮らすことができなくなり、ウクライナが完全に崩壊することになります。

ポーランドの反露姿勢というリスク

だからこそ、ポーランド人の懸念が理解できるのです。今日起こっていることは、まさにポーランド人が避けたいと思っていたことだからです。

私は、カチンの森事件〔第二次世界大戦中のソ連によるポーランド将校大量殺害事件〕のことも、ワルシャワ蜂起〔第二次世界大戦末期、ナチスドイツ占領下のポーランドの首都ワルシャワで起こった武装蜂起〕の際に、ソ連の赤軍が銃を下ろして傍観し、ポーランド人の虐殺を許したことも忘れてはいません。

しかし、スターリンはポーランドにとって良いこともしたのです。ポーランドの国境を動かし、地理的にも民族的にも問題のない境界線を与えたからです。ベルリンの壁が崩壊し、東西ドイツが統一に向かい始めた一九八九年以降、ポーランドにとって最も重要な問題は、オーデル川とその支流のナイセ川に引かれたドイツとポーランドの境界線をドイツ人が疑問視するかどうかでした。しかし、その懸念は杞《き》憂《ゆう》に終わりました。

しかし境界線は、今日、再び動き始めています。ウクライナが破綻しつつあるからです。これはまだ、変化の始まりにすぎないでしょう。ロシアが台頭し、ＥＵがその重要性を失いつつあるからです。

そして何より問題なのは、ポーランドがここで分別ある行動を取る可能性が一〇分の一以下であることです。ポーランドは、ロシアに対する攻撃的態度に慣れすぎていて、そこから脱することができないからです。

反露政策はポーランドにとってマイナスにしかならない

――ポーランドが悪い状況に陥っていることは間違いありません。しかし、あなたとは意見を異にします。ポーランドは、現状のウクライナとの国境線を認め、国境の修正要求は断念しています。例えば、かつてポーランドの都市だったリヴィウの併合を主張したことはありません。一方、今日、ロシアは、国境の再修正を本格的に目論んでいて、既存の国境線に疑問を呈しています。ここで攻撃的なのは誰なのでしょうか。

別の言い方をしましょう。今日のヨーロッパは、ダイナミックで希望に満ちていた一九九〇年代のヨーロッパとはまったく別物です。いざとなれば、ヨーロッパは、ポーランドを放置するだけでしょう。ヨーロッパは弱体化しており、偽善に満ちているからです。

それとは対照的に、ロシアの力の回復は、後戻りすることのない長期的な現象です。ですから、ロシアと共存することを学ばなければならないのです。ポーランドの主要な同盟国は重要性を失いつつあるEUではありますが、復活しつつあるロシアと敵対する政策は、ポーランドにとって望ましいとは思えません。むしろ、災難と失望の元となるでしょう。

ロシアとの共存以外に選択肢はない

――では、どうすればいいのでしょうか。西欧とポーランド人が恨みと負の感情に囚われている一方で、ロシア人は節度と常識を保っているとあなたは言いますが、実際には、今日のロシア人こそ、失った誇りを取り戻すという原動力に突き動かされているのではないですか。彼らをどう満足させればよいのでしょうか。

ロシア人はナショナリストです。ナショナリズム自体は、愚かなものです。しかし、この二〇年もの間、ロシア人は、ひどい仕打ちを受けてきました。彼らが今すぐ暴れたいとなっても驚くにはあたりません。

それに、いかなる大国も、我慢がきかないものです。「とても感じのよい大国」など存在しないのです。ですから、均衡点を見つけて、大国と平和に共存することを学ばなければなりません。ポーランドに他の選択肢はないのです。

プーチンが言うところの「新ロシア」をモスクワが取り戻そうとしている、とあなたは疑うかもしれませんが、「ポーランドは西欧の一部である」と、ロシアはすでに受け入れていると思います。

最後にもう一度、繰り返します。ロシアが力を回復したというのは明白な事実です。と言っても、これは、かつてのロシア帝国への回帰やそれに類した動きではありません。現在、地政学的なバランスが揺れ動き始めたのは、ただただロシアが健全な状態に戻りつつあるからに他なりません。一方、我々ヨーロッパ人は、病める大国の世界に生きています。

二〇世紀の災厄を招いたのは、人口動態です。フランス、ドイツ、ロシアは、異常なスピードで発展し、勢力拡張のために新たな領土を求めました。しかし今日では、三国のいずれも、多かれ少なかれ、人口減少という危機を経験しています。とくにロシアにとっては、領土を拡大しても意味がありません。現在のロシアの領土は、その人口に対してすでに大きすぎるからです。

我々は、大いなる災厄に向かって進んでいますが、人口減少という危機には、ポジティブな面もあります。人口増大の局面よりも、共存することがより容易だからです。

（編集部訳）

3 「ロシア恐怖症」は米国の衰退の現れだ

原題　La russophobie traduit la chute d'une Amérique brisée

初出　Élucid　二〇二一年一一月二二日

米露を〝歴史的ペア〟として分析する

ソ連崩壊以降、ロシアは暗い時代を経験しました。共産主義が平和的に終焉した後、「西側諸国」がこの国に行なってきたことは、倫理的に非難されるべきものでした。

私自身が感じた怒りは、倫理面では興味深い結果をもたらしたものの、長い間、研究のための分析の障害となりました。そのため、アメリカとロシアを〝歴史的ペア〟として見ることができず、体系だった地政学的アプローチを進めることができなかったのです。しかし今ようやく、この怒りをいったん脇に置き、冷静な分析に取りかかれる状況となりました。

ロシアは、対内的にも対外的にも、均衡状態を取り戻しました。ジョージアやクリミアへの介入、とくにシリア内戦への介入が物語っているように、ロシアは、もはやアメリカを恐れなくなったようなのです。いま「脆《もろ》さ」を見せているのは、ロシアのＳ－４００（超長距離地対空ミサイルシステム）ではなく、戦闘機Ｆ35を含むアメリカの軍事技術の方です。

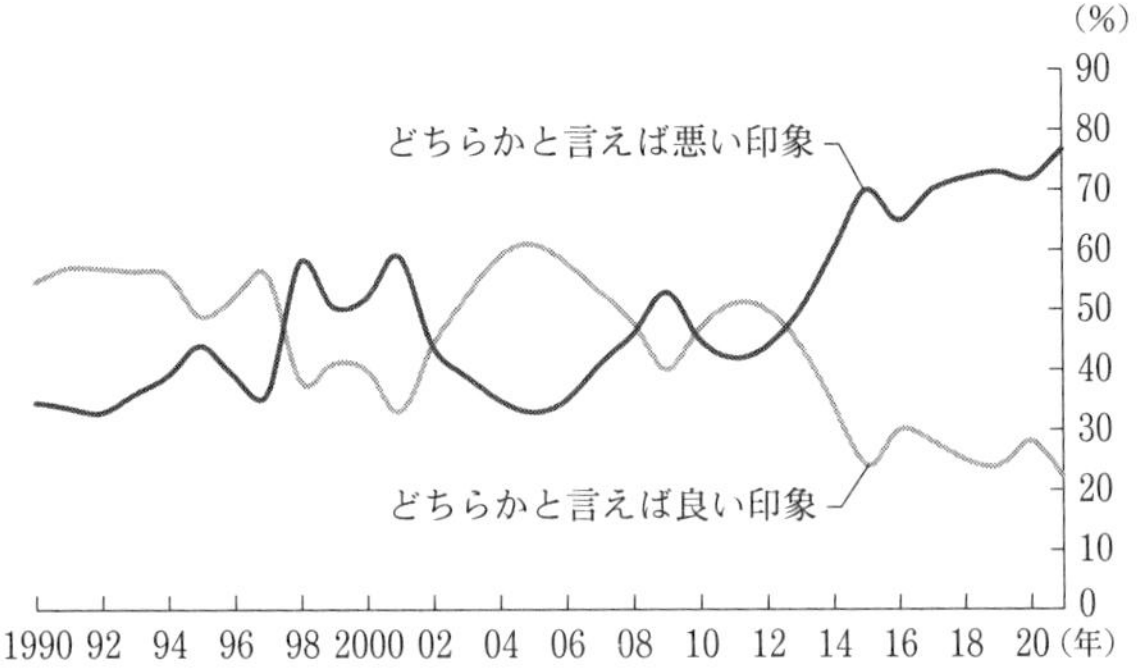

米国人の対露感情の変遷（1990年―2021年）

出典：ギャラップ社世論調査

なぜか悪化した米国の対露感情

こうしてようやく我々は、アメリカが抱く「ロシア嫌い（ロシア恐怖症）」という感情の歴史的な意味を冷静に問えるようになりました。ここで問題となるのは、「ロシア」ではありません。「アメリカにおけるロシア像」であり、「アメリカの集団的な無意識におけるロシアの位置づけ」です。

冷戦終結時の一九八九年、ギャラップ社の世論調査では、調査対象者の六二％がロシアに対して「非常に良い印象」あるいは「良い印象」と回答しています。それが二〇二一年には、この傾向がほぼ逆転し、「どちらかと言えば良い印象」が二二%にまで低下しています。

この「ロシア嫌い」の高まりをどう説明すればよいのでしょうか。

アメリカがこれだけロシアに嫌悪を示すというのは、考えてみれば、奇妙なことです。というのも、ロシアは、ソ連崩壊後、アメリカにとって戦略的な脅威ではなくなっており、ましてや「プーチン政権はブレジネフ政権よりも酷い」とは到底言えないからです。加えて、今日、アメリカ人の意識のなかでは、戦略的な仮想敵は、明らかに中国だからです。

一九七〇年代には、ニクソンとキッシンジャーが、ソ連に対抗するために中国と協力関係を築きましたが〔ニクソン電撃訪中〕、現時点では、アメリカは、中国の台頭に対抗するためにロシアと協力することを拒否しています。それどころか、アメリカの対外的、地政学的行動は、ロシア自身も望んでいないのに、ロシアを中国に接近させることに躍起になっているかのようです。

二〇〇〇年以降、ロシアの社会システムの回復を主要な指標が証明しているだけに、ロシアに対する否定的な言説がアメリカに根付いていること、ロシアを同盟国と見な

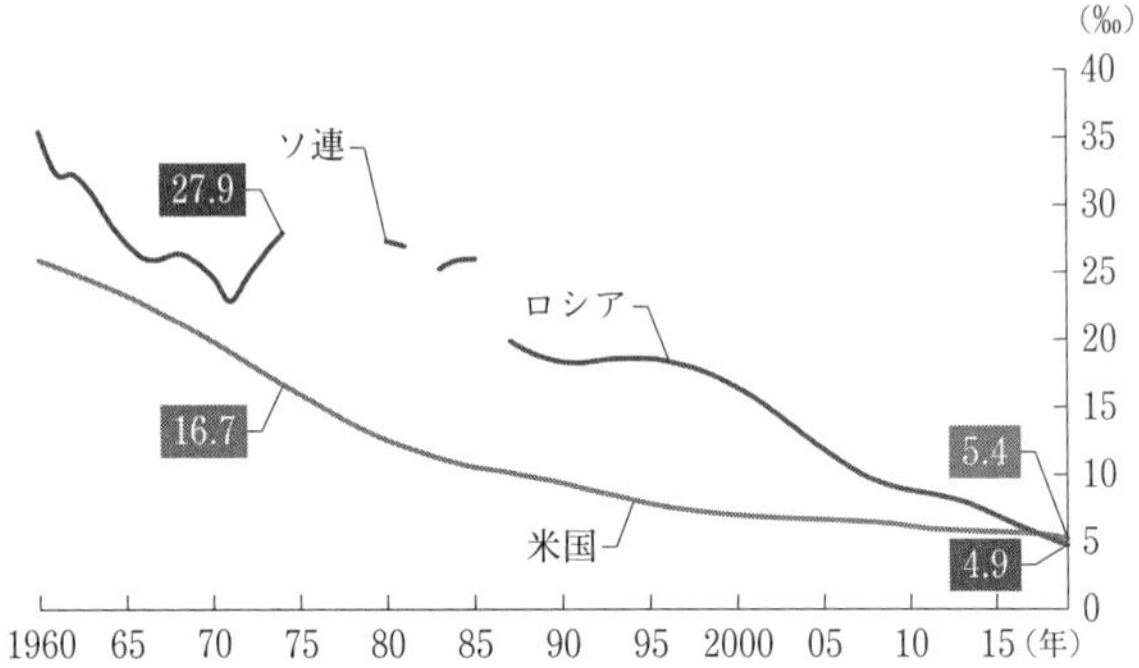

米国とロシアの乳幼児死亡率（1960年—2019年）

出典：世界銀行

すのをアメリカが頑《かたく》なに拒否していること（第二次世界大戦では同盟国だったのに！）は、なおさら驚きに値します。

人口動態が示す米露の現状

第一の指標は、乳幼児死亡率で、私がソ連崩壊を予言するのを可能にしてくれたものです。乳幼児死亡率は、一九七一年から一九七四年にかけて、一〇〇〇件の出生数に対し、二二・〇から二七・九にまで増加していました〔ここから著者は、一九七六年の時点で「今後一〇年、二〇年、もしくは三〇年以内に、ソ連は崩壊する」と指摘。『最後の転落』藤原書店——編集部注〕。

ロシアの乳幼児死亡率は、一九九〇年の時点

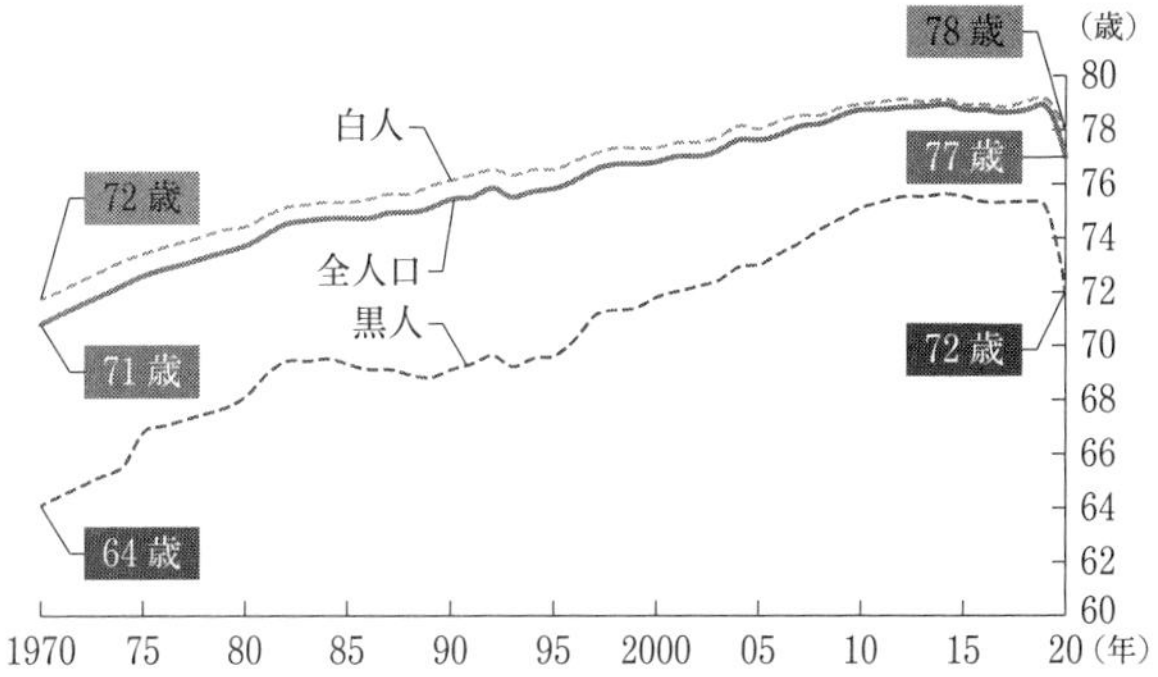

米国の平均寿命（1970年―2020年）

出典：米国疾病対策予防センター

でも、一八・四という高水準でした。ところが、二〇一九年には四・九にまで低下し、ついにはアメリカの五・四を下回ったのです！　つまり、新生児が最初の年に直面する運命だけを見れば、アメリカの方がロシアよりも「遅れている」と言えるのです。

第二の指標は、平均寿命です。アン・ケースとアンガス・ディートンは、著書『絶望死のアメリカ』（みすず書房）で、アメリカにおいて平均寿命が短くなっていることに着目しました。その主な原因は、四五歳から五四歳の白人における、自殺率の上昇、オピオイド（ケシ由来の麻薬性鎮痛薬や同様の作用を示す合成鎮痛薬の総称）の過剰摂取やアルコール依存症などによる

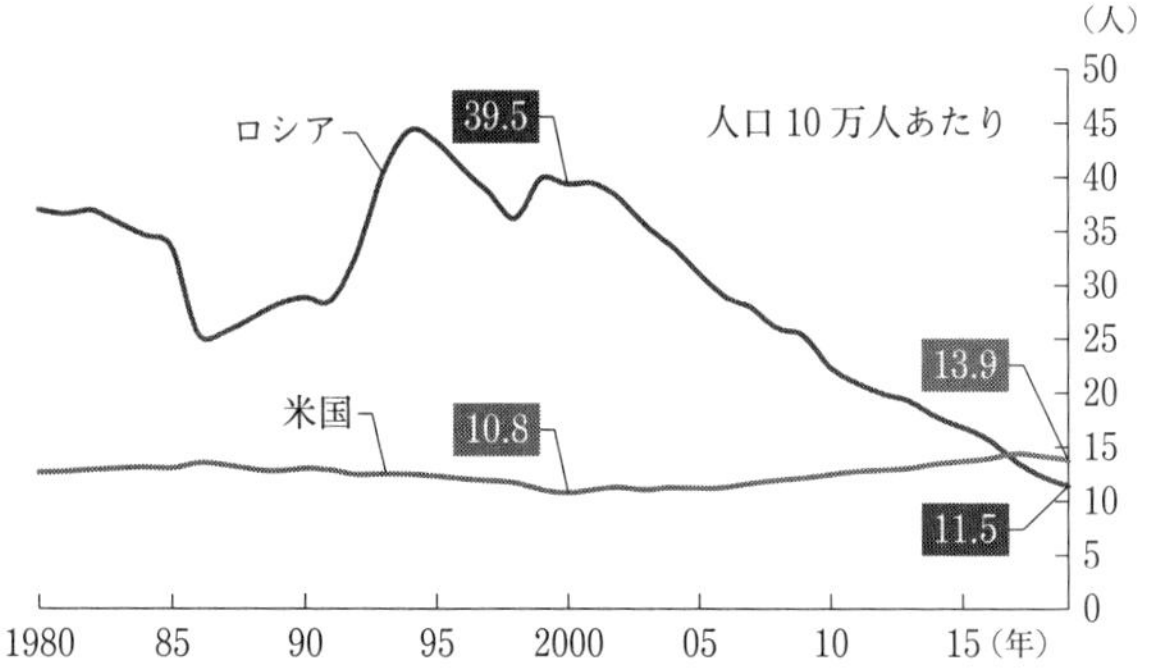

米国とロシアの自殺率（1980 年—2019 年）

出典：OECD

死亡率の上昇です。

平均寿命において、確かにロシアはまだ遅れをとっていますが、急速に延びています。

ＯＥＣＤの調査によると、ロシアは自殺率も低下しており、二〇一九年には一〇万人あたり一一・五人で、アメリカの一三・九人を下回っています。

ロシアの復活と米国の危機

これら二つの指標に基づくと（ここではとりあえず一人あたりのＧＤＰという貨幣的幻想は脇に置いておきます）、一方でロシアの社会モデルの回復、他方でアメリカの社会システムの危機が見えてきます。このような文脈で、アメリカ人たちが内省もなしにロシアを非難がましく拒絶し続けていることは、どのように説明できるのでしょうか。

冷戦を捉え直す

「社会としての衰退」と「ロシア嫌い」というアメリカの傾向を理解するために私が提案したいのは、冷戦を新たな視点から捉え直すことです。つまり、「東西対立は、ソ連圏の一方的な敗北に終わり、アメリカが唯一の勝者となった」という、（おそらくロシアを含めた）世界的に認められている通念を再検討、あるいは拒絶するのです。というのも、いま目の前にあるのは、「アメリカモデルも東西対立から無傷で抜け出したわけではない」という現実だからです。

私の仮説はこうです。アメリカのシステムも内部崩壊していたということです。ソ連ほど目に見える形ではなかったとしても、共産主義との競争という圧力によって、アメリカのシステムも同じくらいに著《いちじる》しく崩壊していたのです。そして今日、アメリカに見られる思わしくない傾向というのは、我々が感知できていなかったこの内部崩壊の長期的な影響なのです。

とはいえ、この内部崩壊を分析する前に、まず第二次世界大戦後の、米ソ間における敵対関係の発生を見ておく必要があります。ここで、もう一つのパラドクスが我々を待ち受けています。ロシアは、アメリカの「社会民主主義」を崩壊させる前に、その誕生に貢献していた、というパラドクスです。

実は補完し合っていた米ソのシステム

ロシアとアメリカの精神システムは、明らかに対照的です。アメリカのシステムは、過去と現在の家族構造から理解できますが（「自由」で「非平等」）、この家族構造（絶対核家族）は「自由」に根ざしており、その「自由」は「平等」のために妨げられるようなものではありません。他方でロシアのシステムは、「兄弟間の平等」と「ほぼ無制限の父親の強い権威」を併せ持つ、かつての農村の家族構造（外婚制共同体家族）から派生しています。

ここから見えてくるのは、一つは「自由」と「非平等」に基づき、もう一つは「権威」と「平等」に基づく二つの正反対のシステムです。世界規模で対立し合うと同時に、補完し合うようにできていた二つのシステムなのです。

アメリカはロシアを「成長」へと向かわせ、ロシアはアメリカを「平等」へと向かわせました。世界的に見ても、西側の先進諸国は、一九五〇年から一九六〇年にかけて「福祉国家」の方向へ進んでいます。

教育の普及に関しては、二つのシステムに共通点があります。時期のずれはあったものの、他の国々と同様、米ソはともに大衆の識字化を経験しました。「誰もが読み書きできる状態に達した」と社会が認識したとき、人々は互いを対等な存在と捉えるようになり、「市民」という観点から物事を考えられるようになります。

こうしてロシアでは、権威主義的かつ平等主義的な家族構造、そして戦争と宗教の衰退という時代背景から「共産主義」が出現しました。個人レベルの平等主義的文化が、ロシアをレーニン、スターリン、ブレジネフといった全体主義の時代に導いたのです。

一方、アメリカでは、自由主義的かつ非平等主義的な家族構造の文脈から、平等主義的文化がいち早く確立しました。アメリカの民主主義の時代は、全体主義とは程遠く、「自由」なものだったのです。

しかし、子供たち（兄弟）が「平等」とみなされないアメリカは、どのように自らの社会のうちに平等主義の理想を見出したのでしょうか。それは、「白人」（そこに属している人々は互いに平等）と「それ以外（先住民と黒人）」を区別することによってです。言い換えると、アメリカにおける「平等」という思想は、あくまで「白人同士における平等」であり、「家族構造に由来するもの」というより、「人種主義に由来するもの」なのです。

ソ連の「全体主義的民主主義」とアメリカの「人種主義的民主主義」――このように現実の歴史は、政治哲学の机上《きじょう》の空論からは遠く離れたところにあるのです。そしてこの二つのシステムが、一九四五年から一九九〇年にかけて相互に作用し合いました。

一九五〇年代と一九七〇年代には、ソ連は西側諸国に有益な影響を及ぼしています。共産主義と競合するなかで、西側諸国の資本主義は「福祉国家化」したのです。社会主義のライバルが、驚異的な経済成長を遂げ、犬に続いて人類を宇宙へ送り出すことに成功しているなかで、一九世紀以来の規律なき資本主義をそのまま継続することは、もはや考えられなくなったわけです。

アメリカの価値体系は、第二次世界大戦後、「自由」という価値に「万人の平等」という価値を付け加えようと試みました。それは、ルーズベルトのニューディール政策が体現していた「平等」以上のものだったのです。こうしてアメリカは「黄金時代」を迎えました。共産主義というライバルに打ち勝とうとする意志が、完全雇用を始めとする福祉国家化を促し、さらにはマーシャルプランを始めとする帝国主義的であると同時に責任あるアメリカの対外政策を促したのです。

「黒人も平等」が「白人間の平等」を破壊

ただし、この競合関係は、アメリカのシステムに理論的な限界を越えさせてしまいました。「万人の平等」というのは、そもそも兄弟間が不平等なところ（絶対核家族社会）では考えられないものなのです。強力な労働組合とともに、アメリカの労働者階級が解放され、彼らがやがて中産階級になっていったのは確かです。しかし同時に、アメリカ企業の利益率は劇的に低下し、経営者層は反逆するべく組織化しました。

共産主義というライバルは、アメリカに「黒人も人間として扱う」ことも強く迫りました。実際、一九六四年の公民権法に至るまで、アメリカの公民権運動は、ソ連と対峙する必要性を明らかに意識したものでした。そしてついにアメリカは自らの限界を越えてしまったのです。

ここで、歴史人類学がアメリカの悲劇的な一面を明らかにします。「黒人は（白人より）劣る」という思想が禁じられることで、「平等」に関するアメリカのシステムは、完全に調子が狂ってしまったのです。「黒人も平等」となれば「白人同士の平等」という感情は崩れ去ってしまうからです。こうしてアメリカでは、経済的な不平等の広がりが抑えられなくなり、社会保障制度は崩壊に至りました。

高等教育による「新たな階層化」

「黒人の解放」が「白人の集団感情」を打ち砕いたのです。「新自由主義」という革命は、人種主義の圧力から誕生しました。私に言わせれば、これは人類学的な無意識にずっと潜んでいた「非平等」への衝動が抑えられなくなった結果に他なりません。

この「新自由主義」革命は、他の二つの非常に重要な要素にも基づいています。そのうちの一つだけが、共産主義、つまりロシアと関係があります。

まずロシアには何ら責任のない、普遍的な動向から始めましょう。

アメリカでは、識字率の向上によって形成された平等主義的な文化が、大学進学率の上昇によって、他国と同じように、ただしどの国よりも早く破壊されました。

ある年齢層の二五％が高等教育を受けた時点で、「平等」の意識は失われ、上層部の人々は自らを「新たなエリート」と認識するようになるようです。国によって変化の速度はまちまちですが、この新しいエリート層は、自ら獲得した地位を「能力主義」の結果として誇りに思っています。

〝挟み撃ち〟に遭った「白人の平等」

この二五％という閾値《いきち》は、アメリカでは一九六〇年から一九六五年にかけて超えられましたが、それはちょうど黒人の解放運動が最高潮に達していた時期と重なっています。

この時期、「白人の平等」は〝挟み撃ち〟に遭ったと言えます。社会の上層部では、高等教育を受けた集団が形成されることで「白人の平等」が霧散し、社会の下層部では、黒人が市民としてなだれ込んできたことで「白人の平等」が侵食されたのです。

ちなみにロシアでは、一九八五年から一九九〇年にかけて二五歳から三〇歳の高等教育を受けた人口が二五％に達しています。この教育による「新たな階層化」は、アメリカの民主主義だけでなく、ロシアの共産主義をも弱体化させたのです。

ベトナム戦争での敗北

一九六〇年代のアメリカの文化的危機に関わる第二の要因は、再び共産主義との競合に関係しています。

アフガニスタンやイラクでの不誠実で残虐なアメリカの軍事行動は、アメリカがベトナム戦争で共産主義に敗北したという重大な事実を忘れさせてしまいがちです。しかしベトナム戦争での敗北は、アメリカにとって正真正銘の屈辱で、それまでにないモラルの崩壊を引き起こしました。アメリカは五万八〇〇〇人もの死者を出しました。しかも、三〇〇万人も犠牲になったベトナム側の死者の大部分は、アメリカの保護下にあったはずの南部に集中していたのです。

「新自由主義」が生まれたのはなぜか

一九六〇年代のアメリカの危機は、次のように要約できます。企業の利益率の低下、黒人の解放、教育による階層化、軍事上の屈辱的敗北。これらが、イデオロギー崩壊の四つの要因で、レーガンの新自由主義（あるいは新保守主義）という反動を生み出したのです。「新自由主義」革命は、「根無し草の思想」としてではなく、「敗北に対するアメリカ的な反応」として捉えるべきです。「自由」と「非平等」というアメリカ的価値観の極限部分を体現しているからです。

一九七五年に共産主義者たちがサイゴン入りした五年後の一九八〇年に、レーガンは大統領選で勝利しました。アメリカの危機の要因となった四つのうち三つは、ロシアとの対立に根ざしています。利益率の低下、黒人の解放、ベトナム戦争の敗北です。この意味で、共産主義が「新自由主義」の台頭の根源にあると言えます。ベトナム戦争で傷ついたレーガンのアメリカは、軍拡競争を進め、労働組合を攻撃したのです。

米ソの相互破壊

それから四〇年経った今日、我々が目にしているのは、アメリカで「新自由主義ナショナリズム」が、国内産業、労働者階級、社会保障制度を破壊し、生活水準を低下させ、ついには平均寿命まで低下させたという現実です。つまり、アメリカの社会システムは崩壊したわけですが、その要因の一部は、ロシアから受けたプレッシャーにあったのです。

しかしこのような見方はなかなか受け入れられません。というのも、東側諸国で起きたこととは逆に、アメリカの体制は、少なくとも形式的には無傷だったことになっているからです。それゆえに、アメリカの政治および社会システムは、いまだに以前と同じく「自由民主主義」という名称で呼ばれ続けています。

ただ、実際はどうかと言えば、今日、選挙過程を主導しているのは、富裕層の資金です（金権政治）。高等教育を受けなかった人々の死亡率が上昇する一方で、アメリカの社会的流動性は、もはやヨーロッパを下回っています。アメリカは、一九二〇年代には、世界一の富裕国で、世界の工業生産の四五％を担っていました。しかしそんな国が、今日、平均寿命の低下に直面しているのです――この現象は新型コロナが流行する以前から見られていました――。

東西ブロック同士の対立という従来の見方は、（トクヴィルが最初に提唱した）アメリカとロシアを一つのペアとして捉えるシステム解析によって再検討を迫られています。

こうしてもう一つの新しい冷戦の分析が可能になります。ソ連という一国が敗北し、アメリカ一国が勝利したのではなく、二国とも敗北したという見方です。つまりこの二国は互いに互いを破壊したというわけです。

「人種」にこだわり続ける米国社会

当初、アメリカにとって有益だった共産主義からの影響は、最終的には、アメリカの社会システムを崩壊へと向かわせました。アメリカのシステムは、ソ連のように、ある日、突然崩壊したわけではありませんが、徐々に形を変えていき、やがて根本的なもの、つまり白人の集団感情が崩れ去ったのです。アメリカがここから立ち直れるかどうかは断言できません。

人種問題は、アメリカにいまだにつきまとっています。以前は人種主義が効率的な集団行動を促していたのが、今ではそれを阻んでいます。

共和党と民主党の二極化は、人種的な分離に根ざし、それを永続化させています。黒人の九〇%近くが民主党に投票し、民主党にとって当てにできる「傭兵」のような存在となっています。今日、黒人票は、高学歴層、二〇二〇年以降は超富裕層と連動した投票行動をとっていますが、これが寡頭制の政治システムを生き永らえさせています。一方、共和党は、優位性を失いつつある白人アイデンティティから逃れることができずにいます。

人種主義、すなわち「人種」へのこだわりが、アメリカの白人の民主主義を可能にしたわけですが、オバマ以降は、「多人種」を夢見ながら、寡頭制を持続させています。「民主制」から「寡頭制」への移行は、ロシアとの対立によって形づくられたのです。もしロシアが「黒人の解放」をアメリカに迫っていなかったら、平等をあちこちで蝕《むしば》むような、教育による「新たな社会の階層化」にアメリカはいかに対処していただろうかと考えることがありますが、現実とは異なるあり得たかもしれない歴史は、想像をし、書くことしかできません。この作業は、ＳＦ作家に譲ることにしましょう。

より控えめに言っても、ロシアに対するアメリカの執着心は、いまや明確に確認できます。それは、アメリカが幸福だった時期（一九四五年から一九六五年）に対する強烈なノスタルジーと同時に、共産主義との競争によって生じたアメリカの社会システムの崩壊（一九六五年以降）に対する癒しがたい恨みを表しているのです。

4 「ウクライナ戦争」の人類学

二〇二二年四月二〇日収録、その後一部加筆

第二次世界大戦より第一次世界大戦に似ている

我々はすでに「世界大戦」に突入してしまいました。そして戦争の歴史によく見られるように、誰もが予測していなかった事態が、いま起きています。

先日、ドイツの財界人や経営者が読む『フランクフルター・アルゲマイネ・ツァイトゥング』紙に、「この戦争は一九一四年と一九三九年のどちらと比較すべきか？」という見出しの記事が出ていました。要するに、この戦争を「第一次世界大戦」と「第二次世界大戦」のどちらのアナロジーで捉えるのが適切なのか、と問いかけているわけですが、私自身は「第一次世界大戦」の方が近いと考えています。

ロシアによるウクライナ侵攻が始まった時、おそらく多くの人々は、第二次世界大戦の電撃戦のような戦争を想像していたことでしょう。しかし実際は、戦争の進行は遅く、むしろ第一次世界大戦のようになりつつあります。

もちろん第一次世界大戦の時も、人々は、「短期決戦」で片がつくと思っていました。ところが実際は、誰も想定していなかったことが起きたのです。

予想に反して、フランス軍がドイツ軍による攻撃を食い止めました。そこでドイツ軍は北海方面へと突き進み、四年にわたる「長期戦」が始まってしまったのです。

第一次世界大戦は、少なくとも西部戦線においては、はっきりとした軍事的勝利によって終結を迎えたわけではありません。連合国のイギリスと、とくにフランスが「兵糧《ひょうろう》攻め」にしたことによって疲弊したドイツが、精神的にも崩壊し、第一次世界大戦はようやく終わりを告げたのです。

ではいま、何が起きているのでしょうか。軍事的な側面と経済的な側面の二つの面から分析できるでしょう。

軍事面での予想外の事態

我々は、まず軍事面で驚かされました。

人々は、「二〇一四年のクリミア制圧や親露派によるドンバス地方の一部掌握の時のように、ロシア軍は、ウクライナ軍をあっという間に潰してしまうだろう」と思っていました。しかしすぐに明らかになったのは、ロシア軍はそれほど強力でも有能でもなかったことです。アメリカとイギリスによって増強されていたウクライナ軍も、誰も予想していなかったような粘り強い抵抗を見せました。

我々は、想像していたのとはまったく異なる事態を目の当たりにしているわけです。それだけにこの先も、どうなるのか分かりません。ドンバス地方での攻防がどうなっていくのかも見通せません。いずれにしても、ロシア軍の軍事作戦がスムーズに進むことはなく、おそらく長期戦になるでしょう。

逆に言えば、ウクライナでのロシア軍の無力さは、「ロシアは西欧にとって何の脅威でもない」ことを示しているわけです。ロシアがウクライナを征服できなければ、ポーランドやドイツを征服することなどあり得ません。自国の国境に対するロシアの懸念にさえ理解を示せば、それ以外の意味において、ロシアは国際社会にとって脅威ではないのです。

経済面での予想外の事態

そして経済面でも、人々の予想は裏切られました。

「ロシアは、経済的に弱体化した貧しい国なので、ヨーロッパによる経済制裁に耐えられないだろう」と見られていました。

ところが、侵攻から一カ月以上経って明らかになったのは、「ロシア経済の耐久力」です。ロシア通貨ルーブルの相場は、いったんは暴落したものの、現在はほぼ通常レベルにまで回復しています。さらに戦争勃発時にロシアから逃げだした多くのロシア人も、再び国に戻ってきています。

さまざまな情報を見ていると、「ロシアの人々も戦争に慣れ始めたのだ」と感じられます。

アメリカとヨーロッパは、経済制裁によって、プーチンの支持率が下がることを期待していました。ところが、そうはなりませんでした。軍事的に困難な状況のなかで芽生える愛国主義――これはよく見られることです――に支えられ、むしろプーチンの支持率は上昇し、おそらく八〇%程度にまで達しているでしょう。

要するに、我々が目の当たりにしているのは、軍事的にも経済的にも、意外にも〝比較的安定した〟状況で、この「世界戦争」が長期的なものになることを示唆《しさ》しています。

その意味でも、今次の戦争は、「第一次世界大戦」を彷彿とさせるのです。さらに、本質においてはイデオロギーや思想をめぐる対立でない点でも、「第二次世界大戦」よりも「第一次世界大戦」に近いと言えます。

正しかったミアシャイマーの指摘

二〇二二年三月二三日のインタビュー（本書「1　第三次世界大戦はもう始まっている」）で、私は、アメリカの戦略的現実主義者の論客ミアシャイマーの議論に言及し、彼の見立てに大方同意しながら、批判も加えました。

それから一カ月近く経過したわけですが、この間の推移を見ていると、前回述べたことはすべて有効であることが明らかになってきたように思います。

私が同意したミアシャイマーの第一の見解は、「いま起きている戦争の原因と責任は、アメリカとNATOにある」ということ、つまり、ウクライナが〝事実上〟（de facto）のNATO加盟国になっていたからこそ、ロシアは、強大化していたウクライナ軍を手遅れになる前に叩き潰そうと決断した、という指摘です。

私が同意した第二の見解は、「ウクライナ側の軍事的成功と、ロシアが陥っている困難な状況を、われわれ西側の人間は、手放しで喜んでばかりはいられない」というものです。その上でミアシャイマーは、「この問題は、ロシアにとって『生存をかけた死活問題』である以上、ロシアは困難な状況に陥ることで、さらに攻撃的、暴力的になるだろう」と予測していました。

現状を見るかぎり、すべて彼の予測通りに事態は進んでいます。戦闘は、ますます容赦ないものとなり、ロシアは、この戦争にますます深くのめり込んでいるからです。

ミアシャイマーへの反論

しかし私は、一点においてミアシャイマーを批判しました。

「ロシアはアメリカやNATOよりも決然たる態度でこの戦争に臨むので、いかなる犠牲を払ってでもロシアが勝利するだろう」と彼は予測しました。この問題は、ロシアにとって「死活問題」である一方、アメリカにとっては「地理的に遠い問題」「優先度の低い問題」で「死活問題」ではないからだ、と。

しかし私は、そうではないと考えました。これでもしアメリカがロシアの勝利を阻止できなかったら、アメリカの威信が傷つき、アメリカ主導の国際秩序自体が揺るがされることになるからです。そうである以上、この問題は、アメリカにとっても「死活問題」になる、と私は考えたわけです。

この一カ月の事態の推移によって、ミアシャイマーの指摘の大部分だけでなく、彼に対する私の批判もまた有効だったことが証明されたように思います。

米国は戦争にさらにコミットする

いまアメリカがロシアの軍事的失敗を喜んでいるのは、明らかです。

ロシアに対する経済制裁によって、ヨーロッパ経済、とくにドイツ経済が麻痺していくことについても、ひそかに満足感を味わっていることでしょう。

しかしそのこと以上に、中国に支援された「ロシアの経済的抵抗」によって、アメリカ主導の国際秩序が窮地に追い込まれることを恐れているのではないでしょうか。

ロシアは、中国に支えられながら、制裁に耐えています。

今後、中国は、さらにロシアを支援することになるでしょう。ロシアが倒れたら、次はみずからが単独でアメリカに対峙しなければならないことを承知しているからです。つまり、中国にとって、戦略上の選択肢は他にないわけです。

ここにきて、中国はロシアとの戦略的連帯を再確認するに至っています。この「中露陣営」に対して、「西洋陣営」を固めることにアメリカは必死になっています。もしロシアがこの戦争に耐えて生き延びるとすれば、それ自体が、世界の経済的支配力をアメリカが失うことを意味するからです。

西側諸国のロシアに関する言説は現実離れしたもので、合理性を欠いています。それは本質的に、基軸通貨ドルを前提にした言説で、「ドルこそ世界の〝真実〟であり、ドルの外に位置する国は世界から孤立する」という言説です。

アメリカの戦争の〝真の目的〟は、アメリカの通貨と財政を世界の中心に置き続けることにあります。だからこそ、早期の停戦をめざすのではなく、この戦争にどんどん突き進んでおり、この戦争にさらに深くコミットする覚悟でいるはずです。

時代遅れの「戦車」と「空母」

この戦争から得られる教訓は他にもあります。

第一は、軍事技術に関するもので、〝逆説的な教訓〟も含まれています。

ウクライナ軍の完全ではないにしろ一定の成功から、「戦車は時代遅れの兵器である」ことが明らかになりました。アメリカがウクライナに供与した「ジャベリン」など、携帯式対戦車ミサイルによって、「戦車の弱点」が露わになってしまったのです。

この事実は、ロシアのように「陸地での戦い」を得意とする「ランドパワー（大陸勢力）」にとっては深刻です。おそらく今後、ロシアにとって頭痛の種となるでしょう。

しかしより広い視野から眺めると、アメリカも安閑としてはいられないことが見えてきます。

アメリカは「空と海での戦い」を得意とする「シーパワー（海洋勢力）」ですが、そのアメリカ軍の中心に存在するのが「空母」です。しかし今日、超音速ミサイル

――この分野ではロシアがアメリカをリードしています――の存在によって、「空母の弱点」が露わになっています。

つまり、ロシア側が「戦車という時代遅れの兵器」を抱えている一方で、アメリカ側は「空母という時代遅れの兵器」を抱えているわけです。

ロシア黒海艦隊の旗艦「モスクワ」も沈没したように、この戦争では〝重厚な攻撃用兵器〟が〝軽微な防御用兵器〟に対して驚くほどの脆さを露呈しました。これは、ロシア軍にとっての苦境を意味すると同時に、潜在的には、アメリカのペンタゴンにとっても大きな課題を突き付けています。もちろん、アメリカは「空母の無効性」について半ば認識していたはずですし、ロシアも「戦車の無効性」について半ば分かっていたはずですが、それが戦場で再確認されたのです。

アメリカの「空母の脆弱性」は、「台湾問題」にも直結してきます。中国が台湾に武力侵攻した場合、果たしてアメリカは台湾を守れるのでしょうか。アメリカの空母が軍事技術としてすでに廃《すた》れている以上、「アメリカは台湾を守らない／守れない」と私は考えます。この点は、日本にも無関係ではありません。

米国の戦略家の〝夢〟を実現

第二は、外交面での教訓です。

ミアシャイマーは、ロシアによる侵攻の前から、「ウクライナが〝事実上〟のNATO加盟国になっていた」と指摘していましたが、実際の戦場で、そのことが想像以上に事実として明るみに出ました。この戦争で誰もが最初に驚いたのは、二〇一四年以降、ウクライナ軍が、アメリカとイギリスによって見事に増強されていたことです。アメリカの情報活動や衛星システムに支えられながら戦う姿を見ていると、「ウクライナ軍はすでにアメリカ軍の一部」とすら思えてきます。

ウクライナ軍は、アメリカの優れた軍事技術を手にしつつ、逆にアメリカ軍兵士には欠けている〝勇敢さ〟も兼ね備えています。

アメリカは、冷戦終結後も常に戦争をしてきたわけですが、相手は弱小国ばかりで、自分より強い敵を相手に直接戦うことはありませんでした。その意味では、「アメリカの優れた軍事技術に支えられた、死も厭《いと》わず自分よりも強い相手に立ち向かう勇敢なウクライナ軍」は、アメリカの戦略家たちの〝夢〟を実現したものとも言えるのです。

ポーランドの存在感

ウクライナ側で戦っている外国人兵士の多くが、ポーランド人とラトビア人であることが明らかになってきました。

前回のインタビューで私は、「地政学的リスクを抱えたポーランドの動きに注意せよ」と述べましたが、この指摘は、私自身が考えていた以上に正しかったと言えそうです。それほどポーランドは、この問題に深く介入しています。

私はここで、ミアシャイマーの議論をさらに一歩進めてみたいと思います。つまり、「ウクライナは〝事実上〟のＮＡＴＯ加盟国になっている」と単に指摘するだけでは、間違ってはいないが、不十分だということです。

たとえば、反ロシアの立場が鮮明なスウェーデンも、「すでに〝事実上〟のＮＡＴＯ加盟国になっている」と言えるかもしれません。

他方で、我々の想像に反して、正式なＮＡＴＯ加盟国でありながら、実は二次的な立場でしかなく、ウクライナで起きていることを把握できていない国があります。ドイツとフランスです。

〝真のNATO〟に独仏は入っていない

ロシアによる侵攻の前に、アメリカとイギリスはそれを予告していました。しかし、ドイツとフランスは、「ロシアとの交渉はまだ可能だ」と言い続けていました。

この点については、「ドイツとフランスの情報機関の仕事がずさんだった」と解釈され、実際、フランス軍情報当局トップのエリック・ヴィドー将軍が解任されましたが、真実はそこにはないと思われます。

アメリカもイギリスも、ウクライナで起きていることを把握していました。ウクライナ軍をコントロールしていたのはアメリカとイギリスで、ロシアに脅威となるほど増強されていたことも認識していました。だからこそ、彼らはロシア側の反応も容易に予測できたのです。しかしドイツとフランスは、ウクライナが戦争に向けて準備をここまで進めていたことを把握していませんでした。

これは、NATOにおける〝事実上〟の重要度は、NATOに正式に加盟しているかどうかに関係ないことを意味しています。

軍事的な意味での〝真のNATO〟とは、アメリカ、イギリス、ポーランド、ウクライナ、そしておそらくスウェーデンから成り立っています。そこに、ドイツとフランスは入っていないのです。それほど強力でないドイツ軍は、ウクライナ危機をめぐる軍事同盟のメンバーとしては、事実上、見放されています。フランスは一定の軍事力を保持していますが、事態を把握できていません。

この二国は、いわば〝人質〟に取られたような状態にあると言えるでしょう。〝真のNATO〟メンバーではない一方で、自律的に自由に行動することも許されていないのです。

実際に戦闘が始まることでこれまで顕在化していなかった、こうした外交的構造も可視化されてきました。

ウクライナの分割

この戦争が軍事面でも長期化する可能性が高いのは、アメリカが許容できる戦況ではないからです。

ロシア軍の失敗は、確かに驚くべきものでした。キエフ（キーウ）制圧の失敗も、黒海艦隊の旗艦「モスクワ」の沈没も、凄まじい失態でした。

とはいえ、もし戦争が現時点で終結すれば、ロシアは、ヘルソン州からドンバス地方までの広大な領土をすでに奪取したことになります。クリミア半島への水の供給源確保にも成功し、アゾフ海も「ロシアの湖」のようになっています。アゾフ大隊の大半を叩き潰すこと――プーチンの言う「非ナチ化」――にも成功しています。

領土を少しずつ獲得している点では、一八世紀のヨーロッパにおける戦争に似ているかもしれません。当時と同じように、領土（ウクライナ）が分割され始めたわけで、現時点ではロシアが勝利を手にしつつあります。

しかし、これはアメリカには許容できないことです。だからこそ、この戦争は、まだまだ続くことになるのです。

この戦争の〝非道徳的な側面〟

ここでもう一つ仮説を追加してみましょう。「ここで戦争が終わったらウクライナはどうなるのか」を想像してみるのです。

前回のインタビューで私は、ウクライナを〝破綻国家〟として説明しました。「ウクライナ国家」に残っているのは軍隊だけで、それもおそらく、ワシントンによってコントロールされています。

一九九一年のウクライナ独立からロシアの侵攻までに、ウクライナ人口の約一五％が流出していましたが、人口流出は、戦争が始まってから、おそらく二〇％から二五％に達していると考えられます。その意味でも〝国家としての破綻〟がさらに進んでいるのです。

〝真の被害者〟は、ウクライナ人です。この戦争の〝非道徳的な側面〟は、戦闘がウクライナ軍によって遂行されながらも、戦場で西側の武器が使用され、ウクライナが自分より強大なロシアを相手に戦っている点にこそあります。ウクライナは、〝軍事的に有能〟に見えても〝国家として崩壊しつつある〟のです。

ウクライナ西部のポーランド編入

ちなみにウクライナ西部よりも、東部と中部の方が〝破綻〟が進んでいます。

ここで私が考えるのは、ポーランドがどう動くかです。

他地域より破壊を免れているウクライナ西部には、驚くほど多くのポーランド人がいます。ポーランドにも、ウクライナ難民が数多く流入しています。そしてウクライナ西部には、歴史的にポーランドの影響を受け、ロシア正教会からは「正教の裏切り者」として厳しい弾圧を受けてきたユニアト教会〔東方典礼カトリック教会〕という教派が存在し、ポーランドに隣接するガリツィア地方に数多くの信者がいて、ポーランド国内にも多数の信者がいます。

これはあくまで政治フィクションやSFの世界の話ではあるのですが、ウクライナが完全な崩壊を迎えた時に、ポーランドが「ウクライナ西部の併合」を求めたとしても、私は驚きません。

ロシアによるウクライナ南東部の掌握は、「崩壊しつつある社会と領土の割譲」という世界的な事例の一つとなるでしょう。そもそもこんな戦争が起きるとは誰も想像していませんでした。だからこそ、これまで考えられもしなかったことが今後も起こり得るわけで、あらゆる事態を想定しておかなければなりません。

ウクライナ侵攻に対する各国の反応

ここから、今回の核となる議論に入ります。

この戦争は「西洋の民主主義VS露中が代表する専制主義」という構図で捉えられていますが、その点を掘り下げてみましょう。

現在、世界には、ロシアへの制裁を決定した国や制裁をすでに実施している国と、そうでない国があります。**地図1**は、ロシアによるウクライナ侵攻に対して、①「非難して制裁を科す国」、②「非難するが制裁はしない国」、③「非難も制裁もしない国」、④「支持する国」を示したものです。

まずこの地図からはっきり見えるのは、①「非難して制裁を科す国」は〝世界の大半の国々〟ではなく〝一部の特定の国々〟であることです。具体的には、アメリカ、イギリス、カナダ、オーストラリア、ニュージーランドというアングロサクソン諸国と、ヨーロッパ諸国、それに加えて日本、韓国という広義の「西洋」で、そこにラテンアメリカ諸国が少しだけ加わっています。

他方で、ロシアの行動に対して「制裁」をしないだけでなく「非難」すらしなかった国（③と④）があります。まずロシアの同盟国であるベネズエラ、シリア、ミャンマーなどですが、それ以外に注目すべきは、中国、インド、ブラジル、南アフリカ、そして多くのイスラム諸国が含まれていることです。

家族構造における父権性の強度

この地図について、まず人類学的に分析し、その後に、イデオロギーや政治体制に関する含意を述べたいと思います。

予《あらかじ》め断っておくと、私の説明は、ブラジルやアフリカのいくつかの国々には当てはまりません。これらの国がロシアに同調する理由は、どちらかと言えば「反アメリカ感情」に起因しているからです。しかし、インド、イラン、イラク、そして中国を始

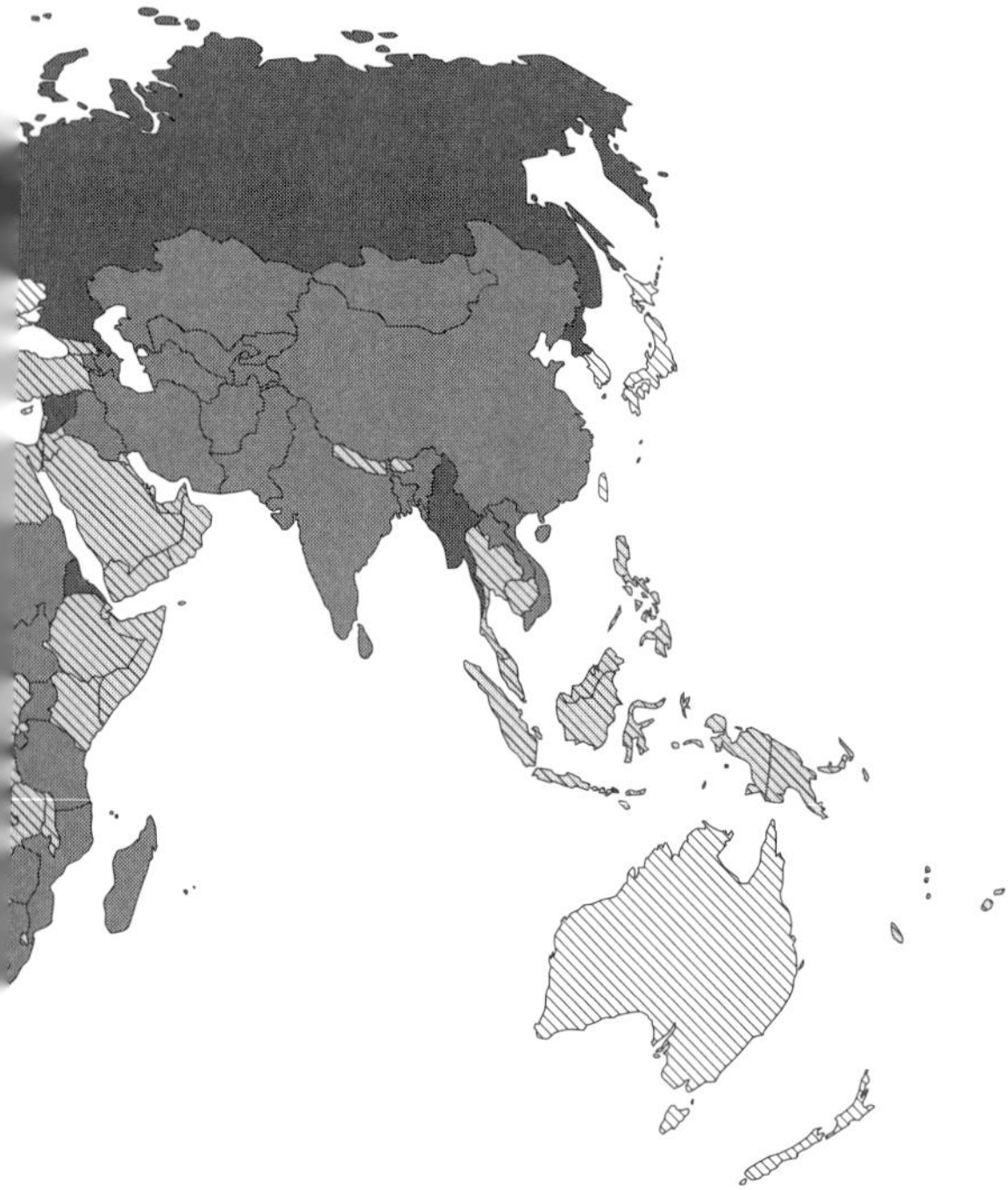

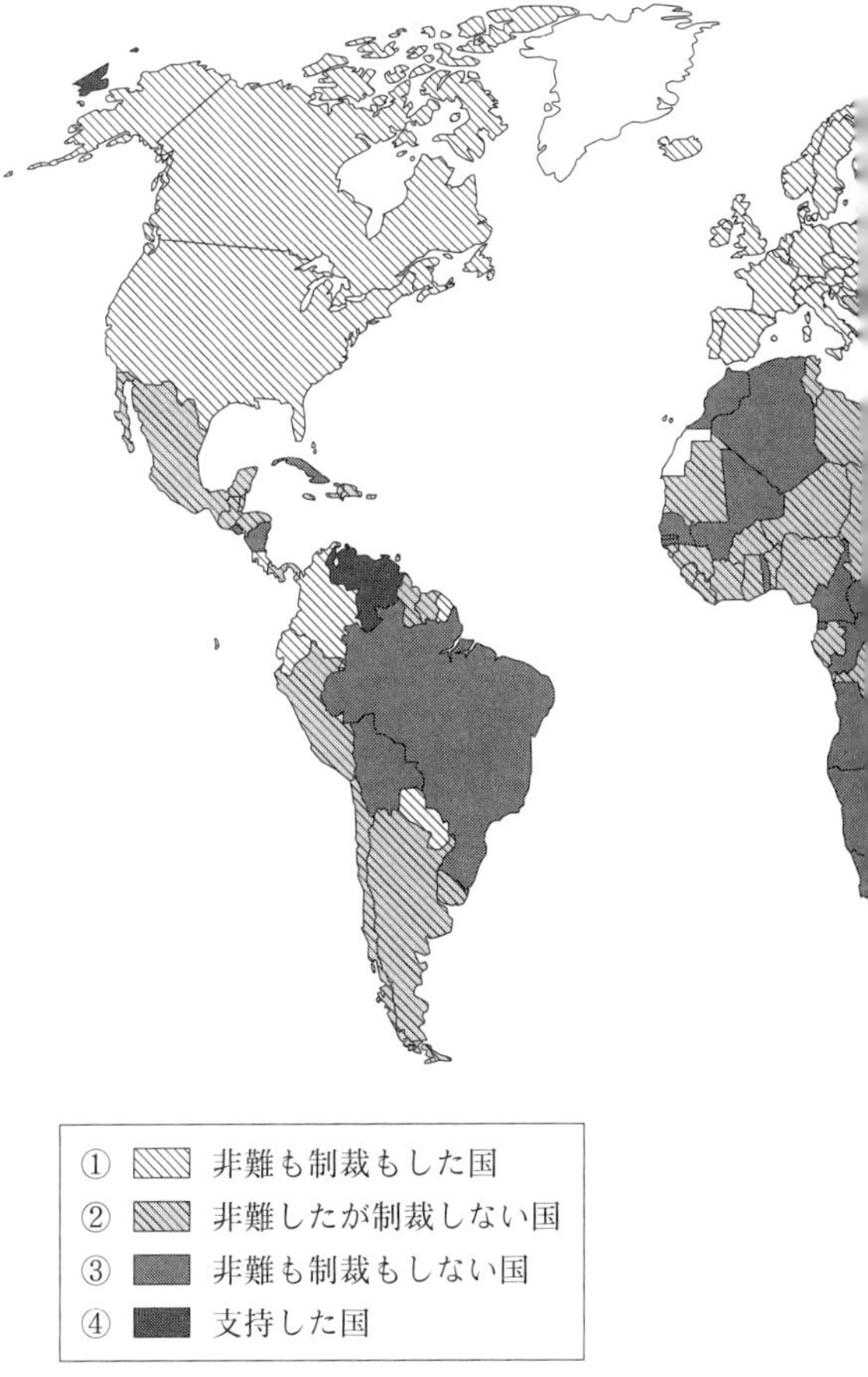

地図1 ロシアによるウクライナ侵攻に対する各国の反応（2022年3月7日時点）

出典：Groupe d'études géopolitiques

めとするアジア諸国に関しては、極めて有効な説明となるはずです。

私の専門は政治学ではなく、家族システムや親族構造を研究する人類学です。ですから、地政学そのものは、私にとっては副次的な領域です。しかし、その「人類学」と「地政学」が、驚くほど〝一致〟していることをこれから示そうと思います。

地図2は、経済発展と家族親族構造の関連を研究している経済史家で、ハーバード大学教授のネイサン・ナン（Nathan Nunn）が作成した「父権性の強度を示した地図」に、私が修正を施したものです。パーセンテージが高いほど、父権性が強い家族システムであることを示しています。

ちなみに私は『家族システムの起源』（藤原書店）で、父権性の強度を「父権性レベル1＝男性長子相続の台頭」→「父権性レベル2＝父方居住共同体家族」→「父権性レベル3＝女性の地位の徹底的な低下」という三段階に分けました。家族構造で言えば、核家族は「父権性レベル0」、直系家族は「父権性レベル1」、共同体家族は「父権性レベル2または3」に相当しています。

歴史的なシークエンスとしては、歴史が進むにつれて、「双系性（若い夫婦は夫の家族集団と妻の家族集団のいずれにも所属できる」・核家族」から「父権性・共同体家族」へと変遷しています。一言で言えば、父権性の強度が高まってきたのが、人類の「家族」の歴史です。

この地図を見て最初に気づくのは、西洋社会は、みずからを「普遍的」だと思い込んでいますが、実は特定の家族構造に組み込まれていることです。父権性の度合いが四〇%以下の国とほぼ一致しています。

もう一方の陣営を見てみましょう。この陣営は、ユーラシア大陸の中心部を占め、かつての共産圏、現在の儒教圏とイスラム圏を含んでいますが、人類学者が「父権的」と呼ぶ世界です。そこでは、父と息子の関係が親族関係を定義し、女性の地位は二次的なものになっています。度合いに違いはありますが、農村社会だった時代に、家族がより濃密な形で共同体として組織されていた地域です。

こうした伝統的な家族システムは、近代化――工業化と都市化――によって崩壊していくわけですが、代わりに共同体主義的な傾向や権威主義的な国家を生みだすことになります。これによって、「過渡期の危機」において、共同体主義的で父権的な家

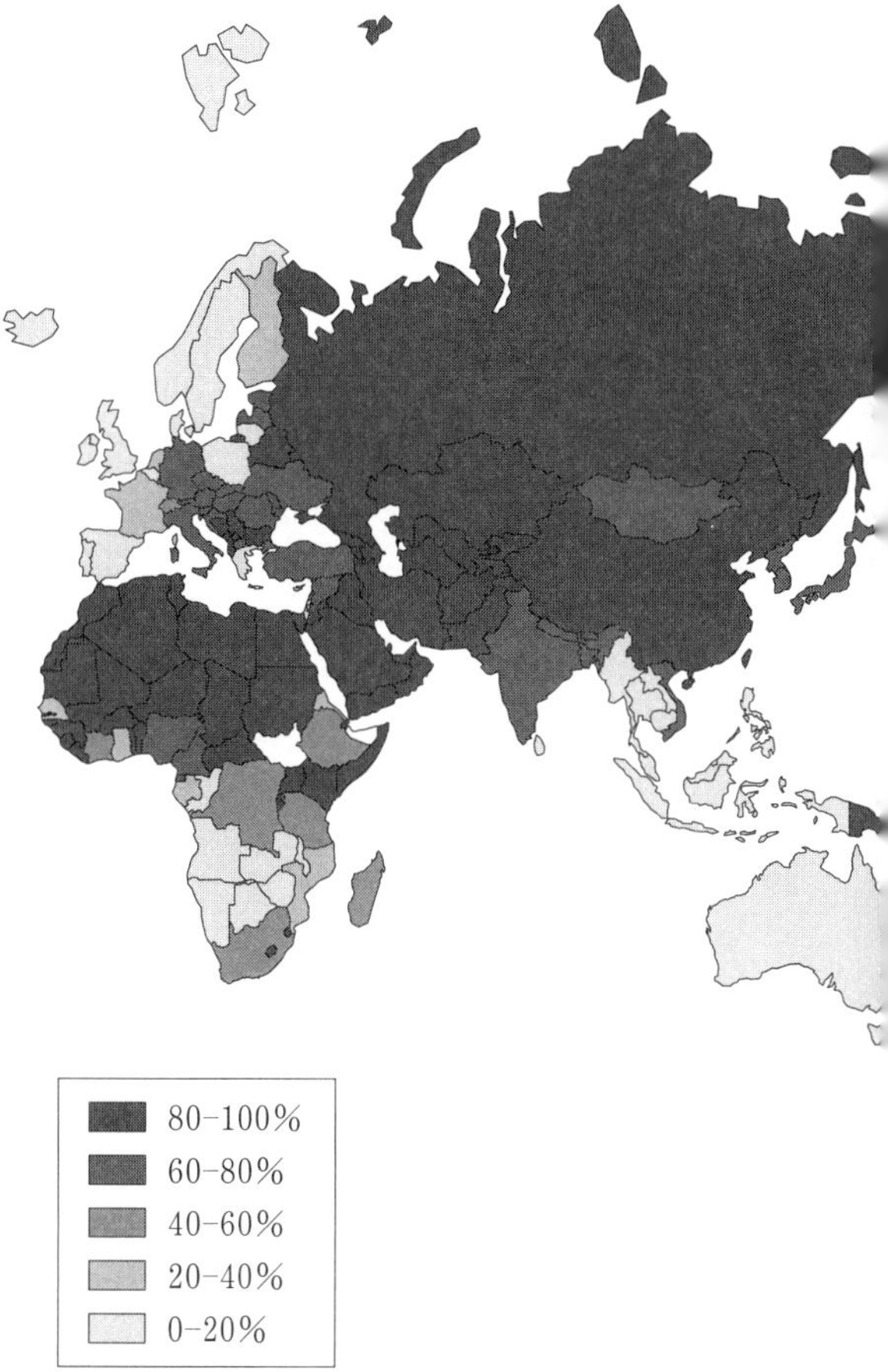

地図2　家族構造における父権性の強度

ネイサン・ナン作成の図を著者が一部修正

族システムが、ロシア、中国、ベトナムなどでは共産主義を生みだし、イスラム諸国ではイスラム過激派を生みだしたことも説明できます。

いずれにしても、この地図からは「ロシアは孤立などまったくしていない」ことが見えてくるのです。これらの国々に共通しているのは、個人主義的な傾向がないこと、そして西洋世界の人類学的な基盤となっている核家族構造が見られないことです。

ちなみに、みずからを「最も先進的」とみなしている西洋社会は、家族構造の歴史から見ると、実は「最も原始的」なのです。その個人主義的傾向は、双系的な核家族構造に由来しているのですが、こうした核家族こそ「最も古く」、父権性が強く権威主義的社会を形づくっている共同体家族こそ「最も新しい」からです。

そして、自らを「普遍的」とみなしてきた、その西洋社会は、現在、ますます自らの内に閉じこもり、閉鎖的になっているのです。

人類学から見た世界の〝安定性〟

我々は、いま世界が〝無秩序〟に陥ったと感じています。しかし、この人類学的な地図からは、一定の〝秩序〟が見えてきます。どの国がロシアの味方になり、どの国がロシアと対立しているのかを見ていくと、この戦争の表面上の〝無秩序〟の奥底に、〝人類学的な地図（世界の人類学的構造）〟が存在し、しかもそれが極めて〝安定したもの〟であることが分かるのです。

たとえば、この地図からは、「核家族社会（父権性レベル0）」と「共同体主義的父権制社会（父権性レベル2または3）」の間に位置する「人類学的な中間地帯」があることも見えてきます。その代表例が、「直系家族社会（父権性レベル1）」のドイツと日本です。

ドイツと日本は、「西洋」に共通する核家族社会よりも父権的な社会です。人類学者として私は、ドイツと日本、とくにドイツは「西洋の国（核家族社会）であるふりをしてきたのだ」と考えています。あるいはドイツについては、「（核家族社会の西欧ではなく）より広義のヨーロッパに属している」と見ることもできるでしょう。

いずれにせよ、ドイツと日本が「西洋世界」に所属している（＝西洋の国であるふりをしている）のは、人類学的な基盤によるのではなく、ともに第二次世界大戦で敗北してアメリカに〝征服〟されたことによります。もちろん、ドイツと日本にとってメリットもあったかもしれませんが、〝人類学的な不一致〟が見られます。ということは、人類学的に何らかの〝無理〟が生じているとも考えられるのです。

ちなみに、このような例は他にもあります。「家族構造という人類学的基底の決定力」は、絶対的なものではないとはいえ、かなり安定的なものです。読者の方々には、この地図を参考に、ご自身でも、さまざまなことをお考えいただけたらと思います。

「民主主義陣営VS専制主義陣営」という分類は無意味

私が申し上げたいのは、この戦争を政治学などよりも深い領域から検討すべきだということです。

「この戦争は父権制システムと核家族の双系制システムの対立だ」とは誰も言わないでしょう。西側のどのメディアにも、こうした分析は見当たりません。よく見られるのは、「民主主義陣営VS専制主義陣営」という捉え方です。

確かにこうした分類法も、冷戦時代には、とくにアメリカが国内の平等も維持しながら経済的繁栄を謳歌する一方で、ソ連と中国が全体主義的に計画経済を実践していた一九四九年から一九七五年頃までは意味をもっていたかもしれません。しかし、今日の世界にはまったく当てはまりません。というのも、まず経済面で、ロシアも中国も、国家統制の下にあっても市場経済になっており、共産主義はすでに死に絶えているからです。

また政治面でも、ロシアと中国には、大衆の意見を表現し、それを見極める一定の能力があります。さまざまな世論調査や研究が示しているのは、良い悪いは別として、ロシア国民の大多数が、プーチンと与党を支持し、国政選挙のない中国でも、多くの国民が政府を支持し、受け入れているという現実です。つまり、ロシアにも中国にも「民主主義的な何か」が存在しているのです。

露中の「権威的民主主義」

こうした事実を前にして、西洋の人間は「何かがおかしい」と感じるわけですが、私からすれば、矛盾した話ではありません――ただしこれは研究者としての指摘であって、フランスに生まれ育った私自身は、個人的にはロシアや中国の政治体制の下で暮らしたいとはまったく思いません——。これらの国は「権威的民主主義」として分析されるべきで、これも一つの「民主主義」なのです。ただ「権威的」と名づけるのは、「少数派の尊重」が欠けているからです。

「民主主義」の原則は、「多数派が権力を握る」ことです。「自由民主主義」は、「多数派の権力」に「少数派の尊重」という原則が加わります。

ロシアと中国のシステムには、「多数派の権力（＝民主主義）」はあります。しかし「少数派の尊重」はありません。ですから「権威的民主主義」として捉えるべきなのです。しかも、そうであるのは、個々の政権や指導者の問題である以上に、「共同体家族」という家族システムに由来しています。

ロシアと中国の違い

しかし、ここで急いで付言しておくと、ロシアと中国はまったく異なる社会でもあります。ただそれも、単に「中国では共産党政権がいまだ続いており、ロシアに選挙があるのに中国にはない」というだけではありません。私がここで指摘しておきたいのは、そうした表面上の政治制度ではなく、人口学的・人類学的な観点から見た違いです。

教育面で中国をはるかに凌《しの》ぐロシアには、「高等教育を受けた分厚い中間層」が存在していますが、中国には見当たりません。「共同体家族社会」という共通点がありながら、ロシアの方が中国より「自由主義的な社会」であるのは、こうした違いに由来しています。

ロシアの女性とキリスト教

両者の違いを人類学的により掘り下げていくと、「女性の地位」の違いに行き当たります。「女性の地位」は、ロシアの方が中国よりもはるかに高いのです。

それはたとえば、夫婦間の年の差があまりないことに現れています。また今日のロシア女性の大学進学率にも現れています。ロシアの大学では、男子学生一〇〇人に対して女子学生は一三〇人（フランスでは一一五人、アメリカでは一一〇人、ドイツでは八三人）で、この基準から見ると、ロシアは世界でも女性の地位が最も高い国の一つであり、スウェーデン（同一四〇人）に次いでいることが分かります。

またロシアは、共産主義といった不条理な体制を生みだしつつも、冷戦期に宇宙分野や軍事分野でアメリカと張り合うことができたわけですが、父権的な共同体家族社会であるにもかかわらず、女性の地位が比較的高いことが、こうしたロシアのシステムの特殊なダイナミズムを生みだしているのではないか、と私は見ています。

おそらく「ロシアにおける女性の地位の高さ」には、キリスト教が関係しています――一方、「中国における女性の地位の低さ」は儒教に由来している可能性があります――。

『我々はどこから来て、今どこにいるのか？――人類史素描』（邦訳は文藝春秋近刊）で詳述していますが、キリスト教の特徴の一つは、マリア信仰にも見られるように、ユダヤ教やイスラム教と比べて、「女性」が大きな役割を果たしていることです。

ロシアの起源とも言えるキエフ公国（キエフ・ルーシ）の指導者層は、ウラジーミル一世（在位九八〇―一〇一五）の時代にキリスト教（東方正教）に改宗しました。

他方、ロシアの父権制共同体家族が完全に実現したのは、一七世紀半ばから一九世紀半ばにかけてと見られています。つまり、「ロシアのキリスト教化」は、「ロシアの父権化」に七、八世紀も先行し、ユーラシア各地に父権システムをもたらしたモンゴル人による征服にも先立っていたのです。

「マリア信仰」において、東方正教会は、カトリック教会に劣らないほど熱烈です。こうしたキリスト教（正教）のフェミニズム的特徴が、ロシアにおける父権性の高まりに一定のブレーキをかけたことが十分考えられるのです。

現在の英米は「自由民主主義」とは呼べない

さて次に、「自由民主主義」と呼ばれる陣営について考えてみましょう。

「自由民主主義」という呼称は、第二次大戦後から一九七五年頃までは、意味をもっていました。しかし、「自由民主主義国」の代表とされるアメリカとイギリスの現在の姿を見れば、この呼称が空虚なものであることが分かります。これらの国では、不平等があまりに大きく広がっているからです。

とくにアメリカでは、選挙プロセスに膨大な資金が投入されています。「金権政治」が大々的に行われているのです。こんな国に、他国の「民主主義」を云々《うんぬん》する資格などあるのでしょうか。教育による階層化と社会の分断も深刻です。

それだけではありません。この国では、社会の上層と下層で「寿命」にまで顕著な差が生まれています。最も貧しい二〇%の層で死亡率が高まっているのです。〝先進国〟では、あり得ない事態です。

アメリカとイギリスでの「不平等」の広がりは、「絶対核家族」（結婚した子は親と同居せず、遺言で相続者を指名し、兄弟間の平等に無関心）という家族構造に由来しています。この家族システムには、「平等」という価値観が組み込まれていないのです。

親子関係は、自由主義（個人主義）的で、ドイツや日本の直系家族のように権威主義的関係ではなく、「自由」という価値観が組み込まれています。しかし、「平等」の原則はなく、だからこそ、これらの社会では「不平等」に歯止めがかからないのです。

他方、「権威主義的」であっても、ロシアと中国の「共同体家族」には、「（兄弟間の）平等」という価値観が組み込まれており、「不平等」の広がりに一定のブレーキがかかる傾向が潜在的に存在します。だからこそ、ロシアと中国では共産主義体制が成立し得たわけです。

「リベラル寡頭制陣営VS権威的民主主義陣営」

こんな状況にあるアメリカやイギリスを「自由民主主義」と定義するのは、科学的にも、政治哲学的にも、もはや〝正しい〟とは言えないのではないでしょうか。

私は民主主義を「制度としての民主主義」と「心理や感情としての民主主義」という二つの側面から見ていますが、社会の内部に民主主義的感情が見られず、これだけ分断が生じているアメリカやイギリスに「民主主義の守護者」を名乗る資格などないのです。

個人的には、これらの国を「リベラル寡頭制」と呼ぶべきだと考えます。

政治学や地政学だけでなく、そこに人類学的な視点を加えれば、いまの世界で生じている真の対立は、「民主主義陣営VS専制主義陣営」ではなく「リベラル寡頭制陣営VS権威的民主主義陣営」だということが分かります。

日本・北欧・ドイツ

ちなみに日本は「リベラル寡頭制」とは呼べないでしょう。直系家族社会の日本では、絶対核家族社会のアメリカやイギリスほど、「富の不平等」は広がっていないからです。

北欧諸国は、いまだに「自由民主主義国家」と定義できるかもしれません。ただヨーロッパ大陸の中心部に関しては、別の分類化が必要でしょう。『「ドイツ帝国」が世界を破滅させる』（文春新書）で詳しく論じましたが、ドイツ自体は「民主主義国家」でも、ＥＵ全体が「ドイツ帝国」と化しているからです。

ドイツには、きちんと機能する選挙制度があり、貧富の差もそれほど激しくなく、貧困層でも死亡率は高まっていません。

ただドイツは、ＥＵやユーロを通じて、実質的にドイツ人以外のヨーロッパ人を支配しており、このシステム全体は「民主主義的」とは、とても言えないのです。「支配者たちの民主主義」とでも言うべきシステムで、中心に支配者専用のドイツ・デモクラシーがあり、周縁に諸国民のヒエラルキーが形成されています。

リベラル寡頭制陣営の「民族主義的な傾向」

私は、今後の数カ月間、あるいは数年間、この戦争で表出してきた対立構造に注目していきたいと考えています。

まず目につくのは、アメリカとイギリスを中心とする「リベラル寡頭制」の陣営が「民族主義的な傾向」を見せていることです。

二〇二一年九月、アメリカ、イギリス、オーストラリアによる新たな安全保障協力の枠組み「ＡＵＫＵＳ（オーカス）」が創設され、同時に、オーストラリアに対する原子力潜水艦の技術供与が発表されました。その結果、オーストラリアは、フランスとのディーゼル潜水艦開発の契約を破棄したわけですが、私が驚いたのは、オーストラリアがアメリカの潜水艦を選んだことではありません。同盟国フランスに対するアメリカの無礼な態度に対してです。しかもこれは、アフガニスタンからのアメリカの不名誉な撤退の直後に起きた出来事で、行き場のない苛立《いらだ》ちを他でやり返す振る舞いのようで、ひどく不快感を覚えました。オーカスのメンバーであるアメリカ・イギリス・オーストラリアは、いずれもアングロサクソンの国で、同盟関係を築くのは自然な流れです。しかし、逆に言えば、あまりに同質的なエスニック（民族）集団で、フランスを排除する姿勢にその閉鎖性が現われています。

権威的民主主義陣営の「生産力」に依存

ちなみに私がここで提示しているのは、今後進めたい「研究テーマ」であって、何かの「結論」ではありませんが、単に二つの陣営の対立としてこの戦争を捉えるだけでは不十分です。なぜかと言えば、今日の経済はかつてないほどグローバル化しており、二つの陣営の相互作用が、「専門化」と「経済相互依存」という非常に興味深い状況を生み出しているからです。

リベラル寡頭制の世界は、創造的で柔軟性があり、技術革新が次々に生まれる場となっています。アメリカが生み出したインターネットのおかげで、たとえば、こうしてパリと東京でオンラインで会話もできるわけです。

しかし他方で、リベラル寡頭制の世界は、自国の産業、工業生産能力をないがしろにしてきました。その結果、技術者を含む自国の労働者層を破壊してしまったのです。財政上の理由から、労働力が安価な権威的民主主義の陣営に、工業生産を委ねたからです。この点で、アメリカと中国の関係はとくに際立っています。

他方、近年明らかになったのは、ロシアも「専門化」を進めていたことです。ロシアは、今日、天然ガス、石油といったエネルギー資源や農業生産品や肥料の輸出大国となっており、その「生産力」によって世界に貢献しています。

要するに、西洋社会、すなわちＥＵを含めたリベラル寡頭制の陣営は、権威的民主主義陣営の「生産力」なくして生き延びることができない状態にあるのです。これは、非常に奇妙で、それだけに予測不可能な状況と言えます。

「高度な軍事技術」よりも「兵器の生産力」

この戦争が長期化するなかで、人々の関心は、軍事技術的な分野から、兵器の生産も含めた各国経済の生産力に移ってきています。
ヨーロッパにとっての死活問題は、これまで輸入してきたロシアの天然ガス、石油、肥料、さらには戦争による破壊で途絶えるウクライナからの輸入品に、今後は頼らずに済むのかどうかです。

ロシアとの経済関係が希薄なアメリカに、この種の問題は存在しません。ただ、そのアメリカにも「生産力」の問題がこれから重くのしかかってきます。「長期戦」で軍需品を消費し続ければ、「高度な軍事技術」よりも「兵器の生産力」が課題として浮かび上がってくるからです。

先日のＣＮＮの記事は、「アメリカの兵器輸出は確かに国の強みではあるが、携帯式地対空ミサイルのスティンガーや携帯式対戦車ミサイルのジャベリンなどの生産力を今後も維持できるのか」と懸念していました。またフランスの統合参謀総長は、「戦争が長引けば長引くほど、高性能の兵器は諦めなければならない。なぜならコストがかかり、扱いも難しい複雑な兵器だからだ」とコメントしていました。

要するに、戦争が長引くほど需要が高まるのは、高価で高度な複雑な兵器よりもシンプルな弾薬で、そのことによって戦闘はより暴力的になり、より血が流れるようになるわけです。ですから、両陣営の「兵器を供給する能力」が今後ますます問題となってくるでしょう。

米露の生産力

ロシアは、人口規模では日本と同程度にすぎません。軍も疲弊しているようで、装備も十分でないようです。しかし、以下の点に注目すべきです。

まず二〇一四年以降に科された経済制裁に対して、ロシアはうまく適応しました。農業生産が倍増するなど、二〇一四年から二〇二二年にかけてのロシア経済の適応能力には目を見張るものがあったのです。

さらにロシアは、中国を頼りにすることもできます。工業生産で中国が協力することになれば、ロシアが弾薬不足に困ることはないでしょう。

他方、アメリカはどうか。たとえば、一九四五年時点でのアメリカの生産力は圧倒的で、世界の工業生産の半分をも占めていました。しかし今はそうではありません。

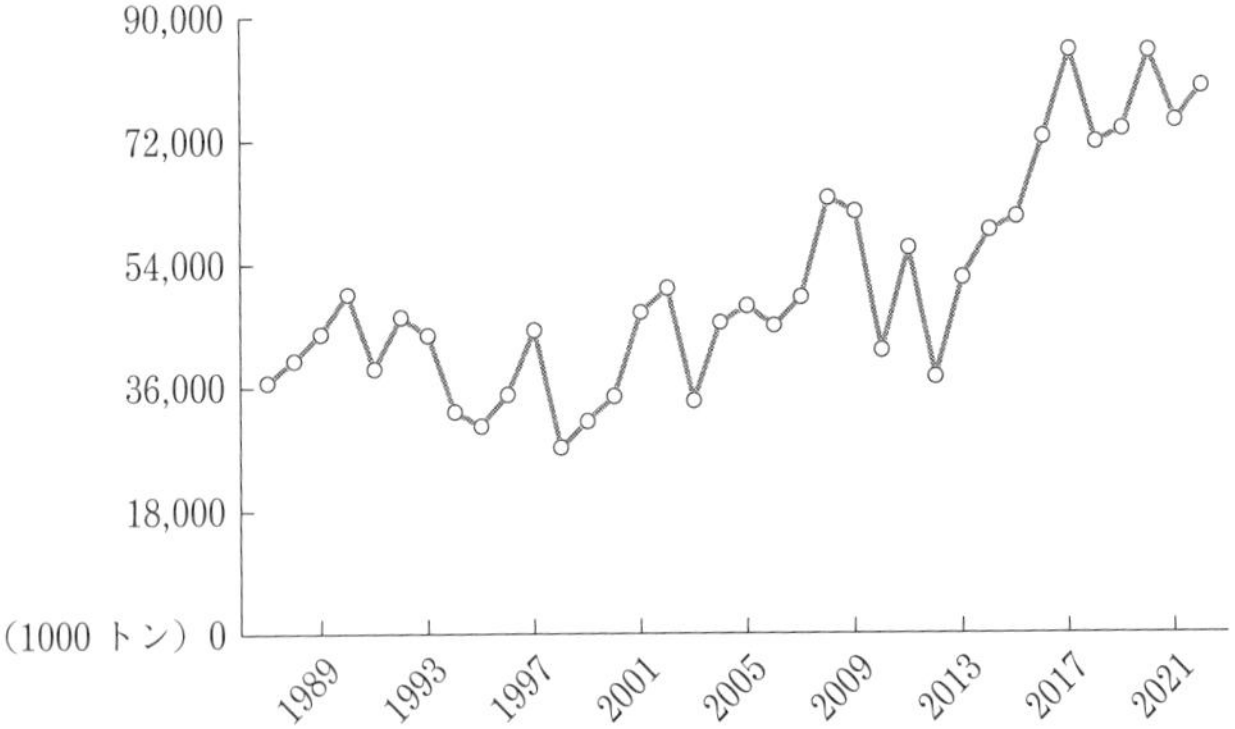

ロシアの小麦生産量

出典：IndexMundi

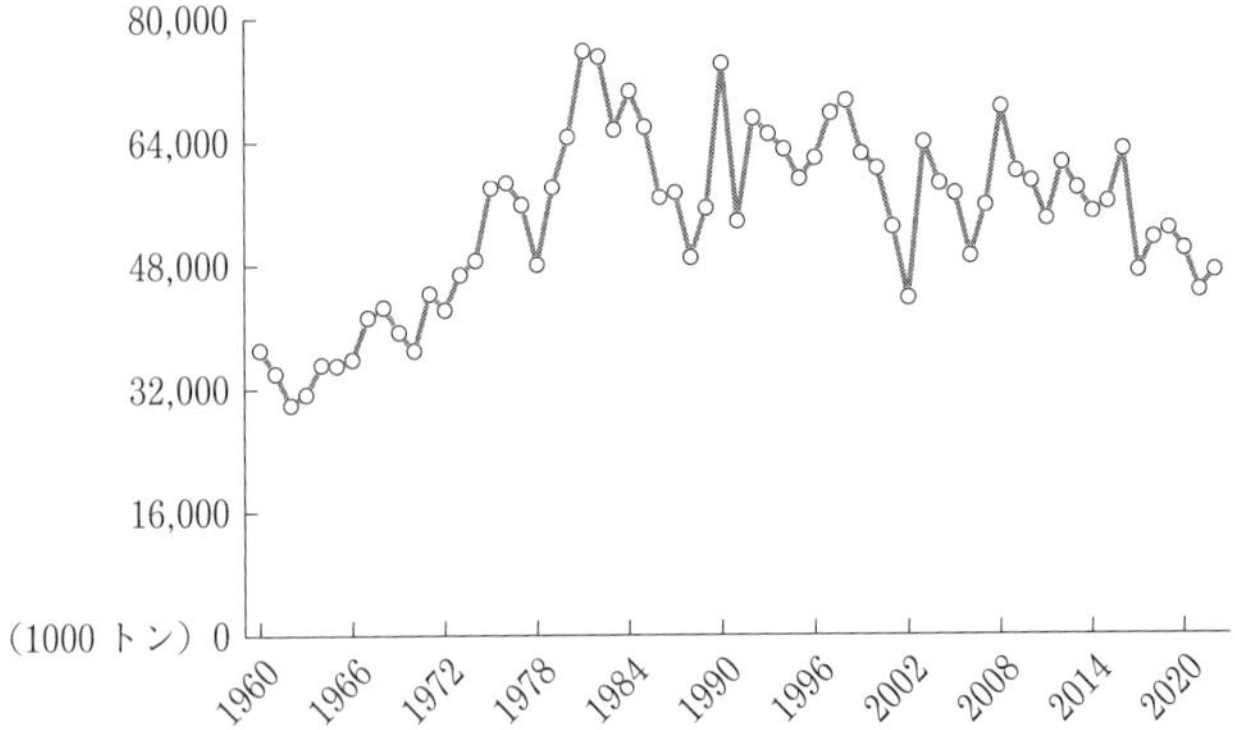

米国の小麦生産量

出典：IndexMundi

さらに今日のサプライチェーンは、相互依存が進み、非常に複雑化しているため、予測が困難です。実物経済で世界各地からの供給に全面的に依存しているアメリカにとっては、大きなリスクとなるでしょう。

ヨーロッパ経済はインフレに耐えられるか

「予測通りにいかない」が過去の戦争から得られる教訓ですが、まさに今、世界は予測不可能になりつつあります。とはいえ、ロシアに対する制裁のインパクトが、ブーメランのごとく、西洋社会に跳ね返ってくるのは確実です。

西側のメディアでは、「これだけ強力な経済制裁にロシア経済は、とても耐えられないだろう」と論じられていて、事実、ロシアは高インフレに見舞われています。しかしルーブルは、いったん急落した後、すぐに回復し、それどころか、西側の主要通貨に対して、むしろルーブル高となっています。

ロシア産の石炭・石油・天然ガスの禁輸措置にしても、窮地に追い込まれるのは、ロシアよりもヨーロッパの方でしょう。ヨーロッパ経済のロシア産エネルギーへの依存度は、あまりに高いからです。ヨーロッパにとって、エネルギー資源の〝代替となる購入先〟を見つけるのは容易ではありませんが、ロシアからすれば〝代替となる販売先〟は簡単に見つかります。

しかも、この局面でエネルギー価格は急騰しています。この価格上昇で苦しむのはヨーロッパで、潤うのはロシアであることは明らかです。

ですから、この「経済的な消耗戦」において、私は西側陣営が勝利する方に賭ける気にはなれません。アメリカ、イギリス、フランスの対外貿易への依存度は途方もないレベルだからです。

この戦争は、ヨーロッパの人々にとって始まったばかりで、インフレや供給の問題が本格化してくるのは、これからです。早晩、人々は、「ロシア経済は想像以上に安定しているのに対して、西側・ヨーロッパ経済は想像以上に脆弱なのではないか」と自問し始めることでしょう。

ヨーロッパで、戦争とは直接関係のないインフレが大衆層を襲っていたタイミングで、この戦争が勃発しました。今後は、この戦争が原因となるインフレがさらに津波

1ルーブル＝0.015414ドル

(2022年5月13日時点)

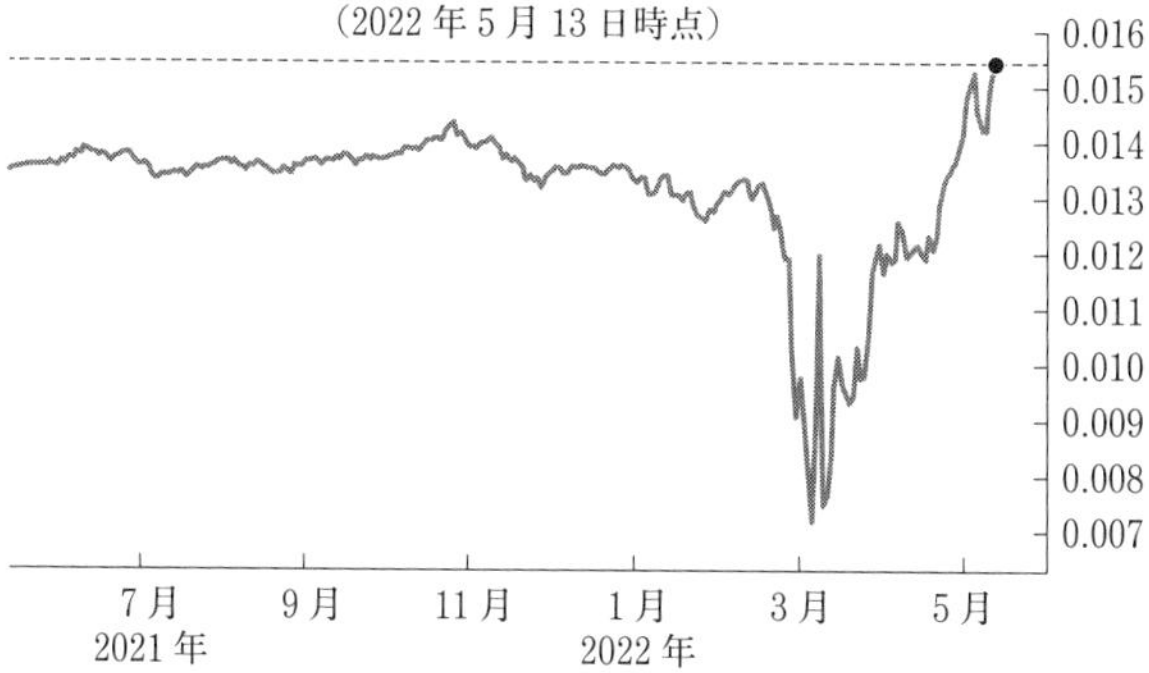

ルーブルの対ドル為替レート

出典：TradingView Inc.

1ルーブル＝0.014809ユーロ

(2022年5月13日時点)

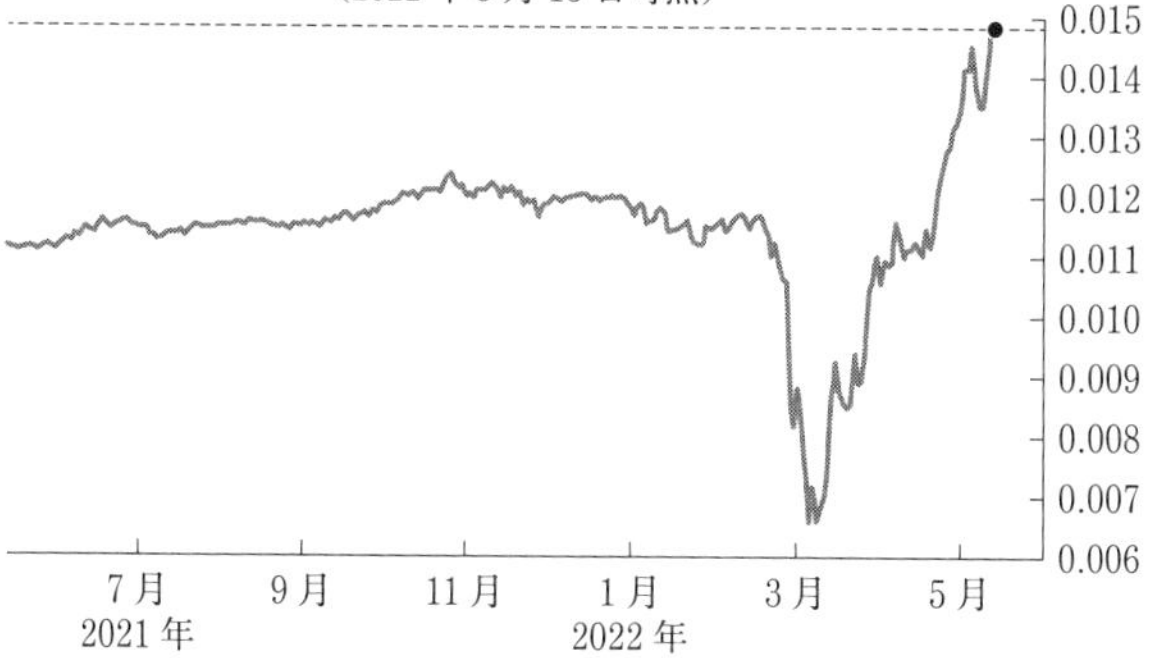

ルーブルの対ユーロ為替レート

出典：TradingView Inc.

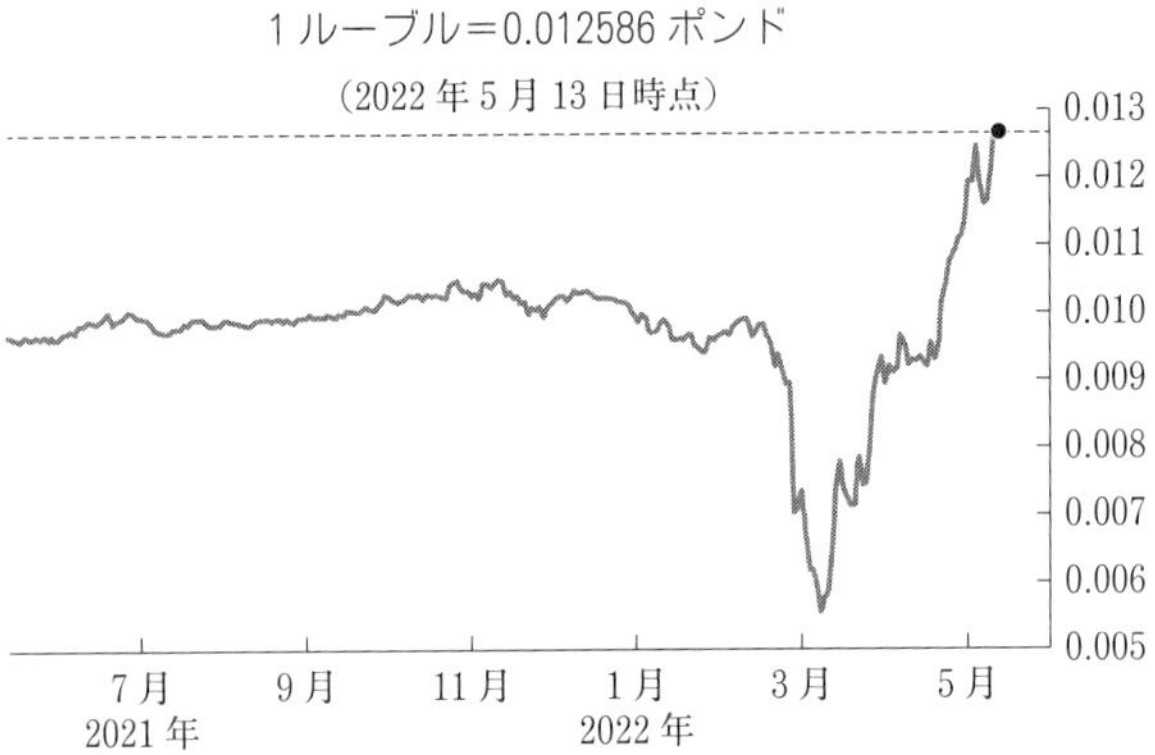

ルーブルの対英国ポンド為替レート

出典：TradingView Inc.

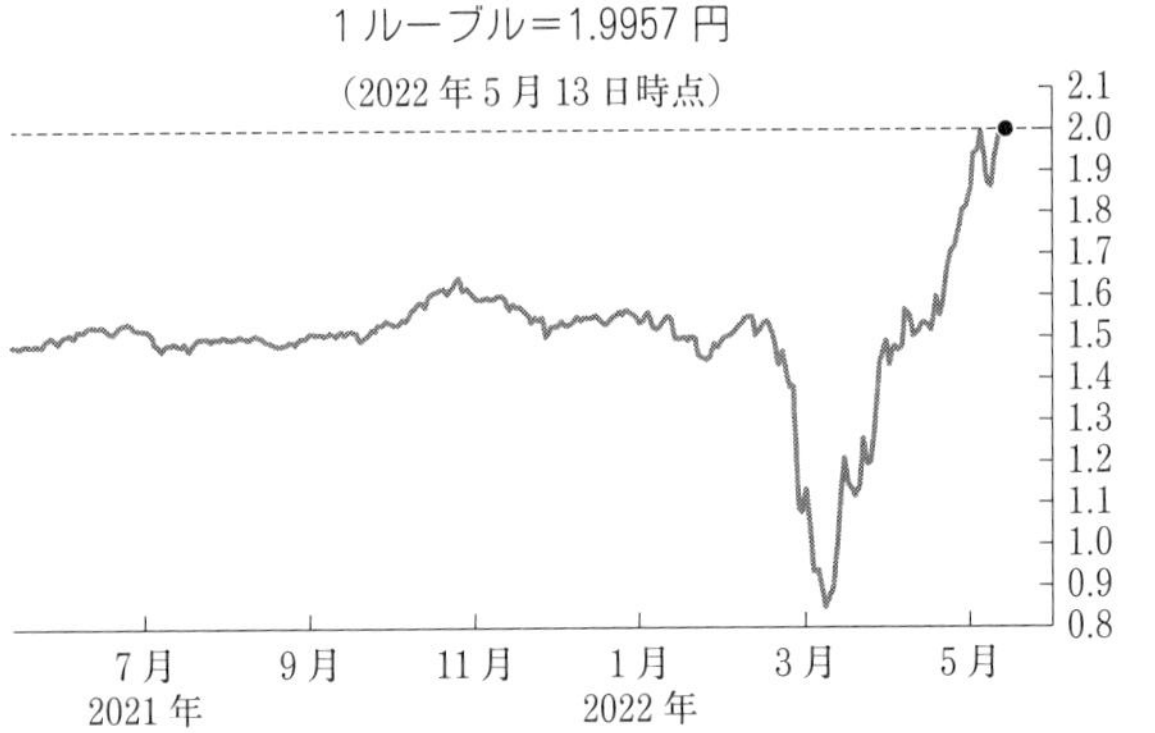

ルーブルの対円為替レート

出典：TradingView Inc.

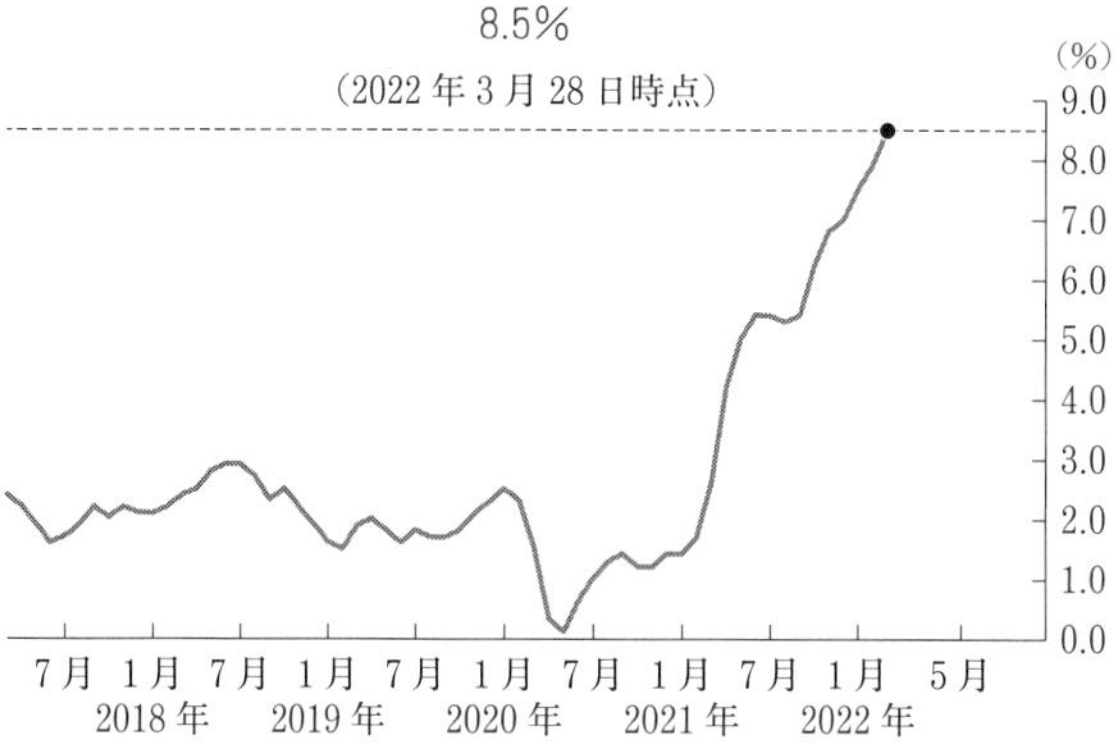

米国のインフレ率

(前年同期比)

出典：TradingView Inc.

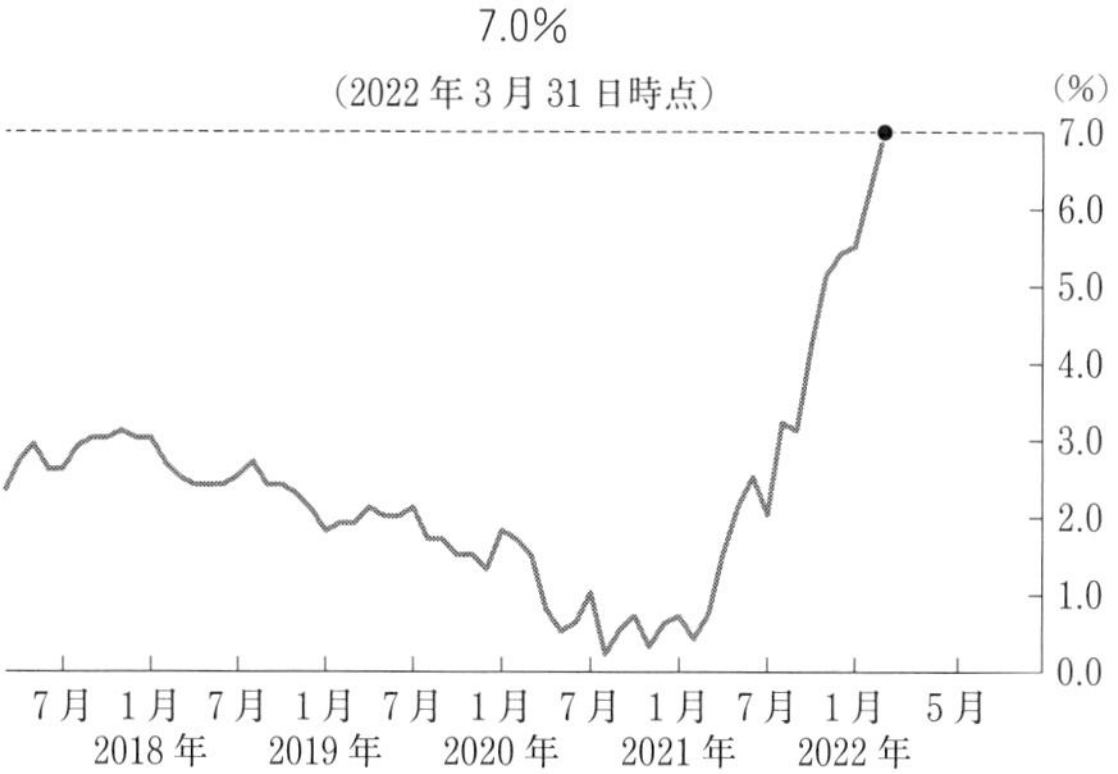

英国のインフレ率

(前年同期比)

出典：TradingView Inc.

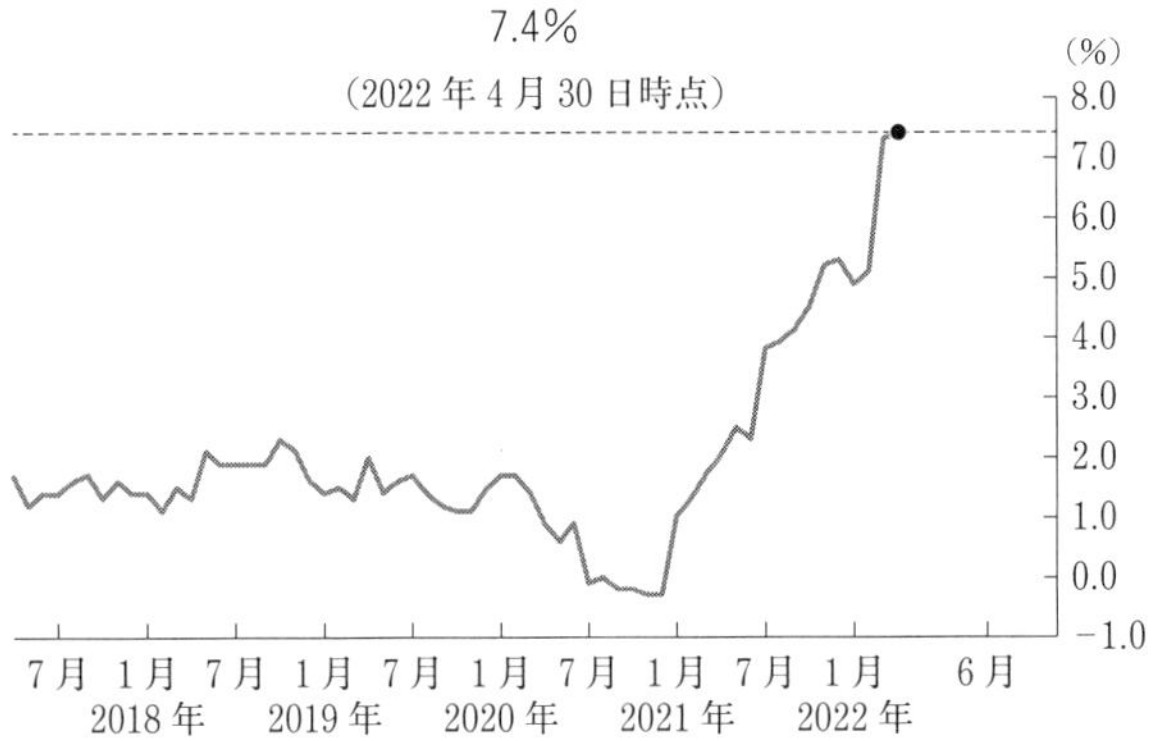

ドイツのインフレ率

（前年同期比）

出典：TradingView Inc.

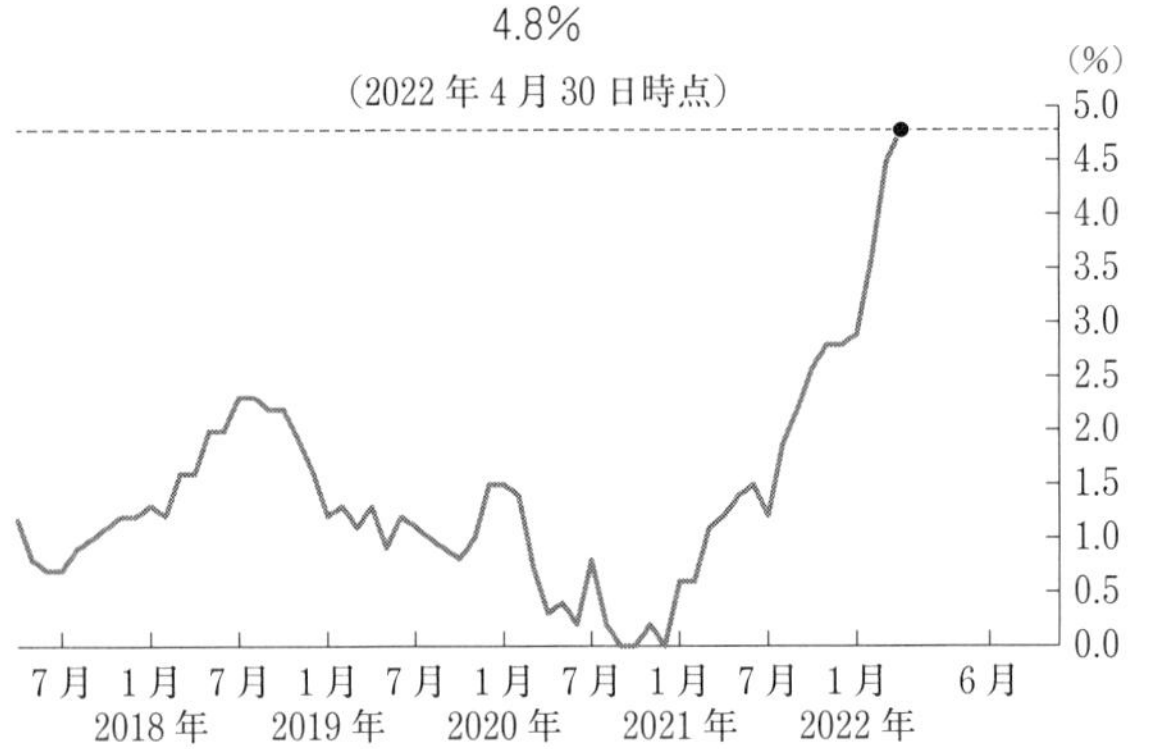

フランスのインフレ率

（前年同期比）

出典：TradingView Inc.

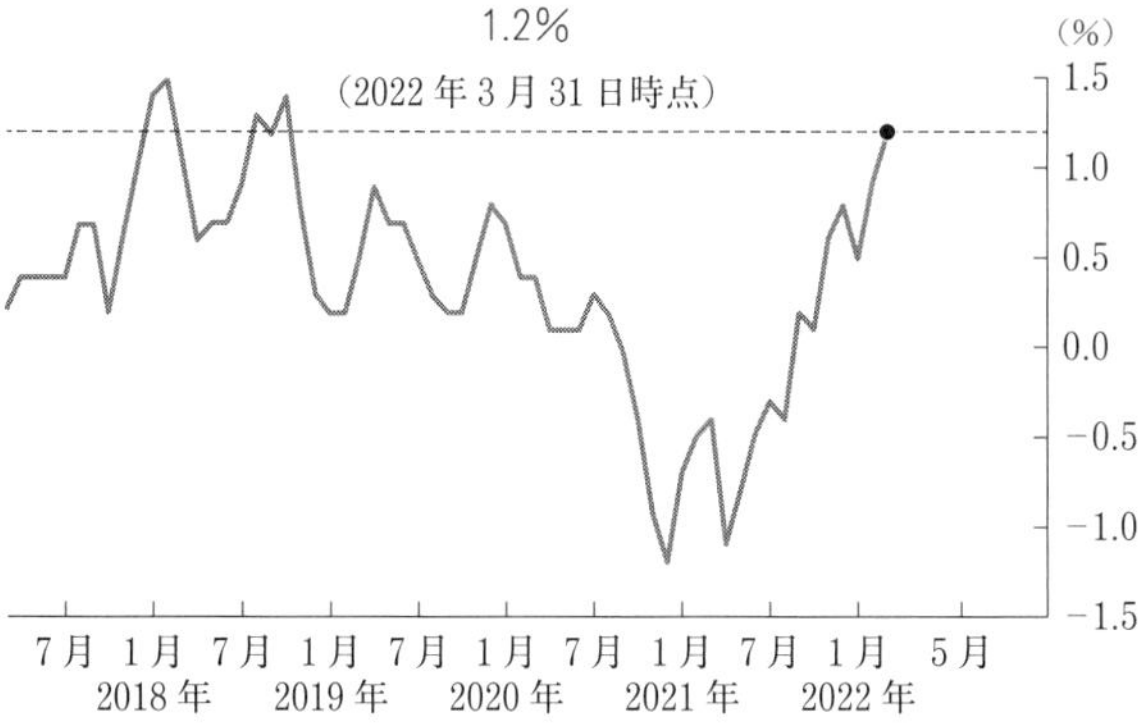

日本のインフレ率

(前年同期比)

出典：TradingView Inc.

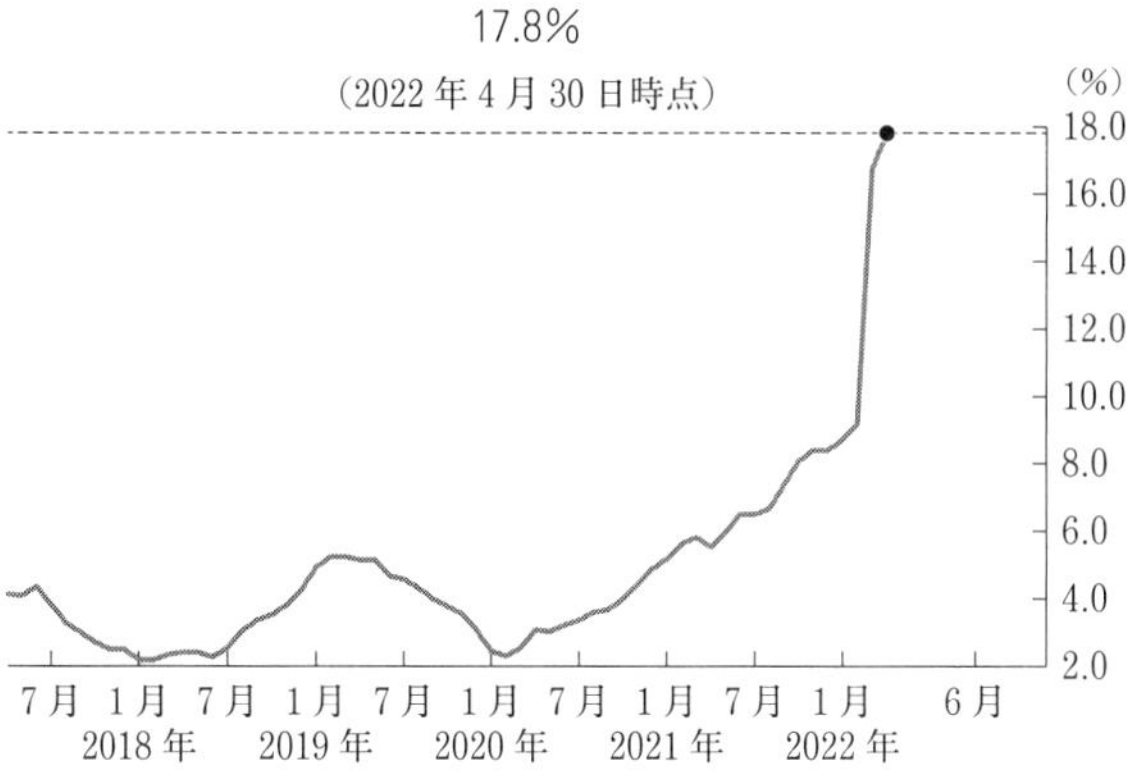

ロシアのインフレ率

(前年同期比)

出典：TradingView Inc.

のようにヨーロッパに押し寄せてくるはずです。このインフレにヨーロッパの社会システムは、どれだけ持ちこたえられるのでしょうか。

たとえば、二〇二二年四月二四日のフランス大統領選では、最終的にはルペンがマクロンに敗れましたが、ロシアへの制裁の影響が選挙前にフランスに現れていたとしたら、ルペンが勝利していた可能性があります。

真の経済力は「エンジニア」で測られる

そもそも西側諸国の経済力を過大評価する一方で、ロシア経済の耐久力を過小評価しているのは、今日の経済分析があまりに具体性を欠いているからです。

各国の経済力を測るには、農業部門、工業製品、サービスの付加価値を集計した国内総生産（ＧＤＰ）を比較するのが通例ですが、例えば、アメリカの弁護士の熱心な活動が数字上は膨大な付加価値を生み出しているように、そこには、まったく「生産的」ではなく文字通り「虚構」と言えるようなサービスもかなり含まれています。

ロシアの経済力は、こうした指標（ＧＤＰ）で測れば、韓国と同程度となります。

しかし、もしロシアの経済力がその程度だとすれば、ロシアはどうやってアメリカと軍事的に対峙できているのでしょうか。クリミア占領後の欧米の制裁にどうやって耐えたのでしょうか。それどころか、その後、穀物と原発の輸出大国になり得たのはなぜでしょうか。欧米のシステムから自立したインターネット網や銀行システムをどうしてつくれたのでしょうか。S―400地対空ミサイルシステムや超音速ミサイルの開発など、ある分野ではアメリカを技術的に凌駕できたのはなぜでしょうか。

これらはすべて「謎」なのでしょうか。

経済力を抽象的に捉えるのではなく、労働人口の教育水準といった経済力の具体的な中身を見れば、何の不思議もありません。

現在、ロシアの中等教育システムの水準は、アメリカのそれよりも高いと思われます。そしてとくに、アメリカとは違ってロシアでは、多くの若者がエンジニアとしてのキャリアを志向していることが重要です。

二〇一九年のOECDの調査によれば、高等教育の学位取得者のうちエンジニアが占める割合は、アメリカが七・二％であるのに対してロシアは二三・四％です（日本は一八・五％、韓国は二〇・五％、ドイツは二四・二％、イギリスは八・九％）。

この「エンジニア不足」をアメリカは、他国からの〝輸入〟で補っているわけですが、問題は、そのエンジニアの多くが中国人であることです。

ここに、未来予測を可能にするような手がかりが存在します。「アジアからアメリカへのエンジニアの流入は今後も続くのか」という疑いが生じてくるのです。

第一に、インド出身のコンピュータ技術者はあまり問題でないにしても、中国人エンジニアを大量に受け入れることに、安全保障上の問題はないのでしょうか。

第二に、東アジア諸国が急速な少子化に直面している以上、アメリカは、これまでのようにはアジア系移民を当てにできなくなるのではないでしょうか。

ここでもし、アメリカの経済力を「ドル」ではなく「エンジニア」で測るとすれば、グローバルなサプライチェーンの崩壊――この戦争が引き起こしている「脱グローバル化」――に、アメリカは対応できるのかが問われてきます。

そしてもし、ロシアの経済力を「ルーブル」ではなく「エンジニア」で測るとすれば、二〇一四年からの制裁に耐えられたように、二〇二二年の西側による制裁にもロシアは耐えられるのではないか、と考えられるのです。

断言はできませんが、科学的厳密さをもって、私たちは次のように問わなければなりません。「経済の真の柔軟性」とは、銀行システムや金融商品を開発する能力にではなく、生産活動の再編成を可能にするようなエンジニア、技術者、熟練労働者にこそ存しているのではないか、と。

いま問われるべきは、アメリカ経済の真の実力です。アメリカはウクライナに四〇〇億ドル（約五兆円）もの資金を援助する一方で、ベビー用粉ミルクが不足し、急遽スイスやオランダから輸入する必要がある、と『ニューヨークタイムズ』紙が報じています。「貨幣を配ること」と「実際の商品を配ること」は同じではないのです。

アメリカは、勇敢なウクライナ兵と優れたアメリカの武器でロシアを追い詰めようとし、ロシアを永久に弱体化させることを目的にこの戦争を長引かせるために、ウクライナに膨大な貨幣を供給しています。

しかし、ここには大きなリスクがあります。アメリカ産業の脆弱さと中国製品への依存は、もう一つの可能性を示唆しているからです。中国には、戦争が長期化するなかで、ロシアを利用してアメリカの武器備蓄を枯渇させることで、アメリカの弱体化を図るという選択肢が残されています。巨大な生産能力を持つ中国からすると、ロシアに軍需品を供給するだけで、アメリカを疲弊させることができるのです。

本来、この戦争は簡単に避けられた

さてここからは、私が最も懸念する事柄について述べたいと思います。

私は、「西側メディアから情報を得ているヨーロッパ人」という立場で話をしています。ロシア語は分からないし、そもそも戦時下の情報は不確かなものばかりで、限られた情報しか持ち合わせていません。にもかかわらず、この戦争勃発の「以前」と「以後」が信じがたいほど〝不釣り合い〟であることは明らかで、まずそのことに私は驚いています。

この戦争は、「ウクライナの中立化」という当初からのロシアの要請を西側が受け入れていれば、容易に避けることができた戦争でした。

そもそもは解決が非常に簡単な問題だったのです。ロシアは、戦争前にすでに安定

に向かっていました。自国の国境保全に関してロシアを安心させていれば、何事も起こらなかったはずです。その意味で、ロシアの立場の方がヨーロッパの立場より、シンプルでリーズナブルなものに私には見えます。

西洋社会が虚無から抜け出すための戦争

本来なら避けられたはずの戦争が始まってしまい、ウクライナの市民が虐殺される事態に陥っているのは、あまりに不条理です。

ここで私は、人間の本質について悲観的な考察をせざるを得ません。物事を〝逆に〟考える必要があるのではないか、ということです。つまり、ロシアではなく、むしろ西洋社会こそうまくいっていないのであって、この戦争がそれを物語っているのではないか、と。

西洋社会では、不平等が広がり、新自由主義によって貧困化が進み、未来に対する合理的な希望を人々が持てなくなり、社会が目標を失っています。この戦争は、実は西洋社会が虚無の状態から抜け出すための戦争で、ヨーロッパ社会に存在意義を与えるために、この戦争が歪んだ形で使われてしまったのではないか、と思われてくるのです。ひょっとすると、この戦争は〝問題〟などではなく、方向を見失った西洋社会にとって、ひとつの〝悪しき解決策〟なのかもしれません。

第一次世界大戦は中産階級の集団的狂気

その意味でも、この世界戦争は、第一次世界大戦と似ています。

フランス、ドイツ、イギリス、オーストリア＝ハンガリー帝国は、経済的にも、文化的にもこれまでになかったような黄金期を経験したのちに、まったく取るに足らない口実、すなわちサラエボ事件を理由に、大規模な軍事的衝突に突入しました。

四年にもわたるこれほど壮絶な殺戮《さつりく》にはそれなりの合理的理由があるはずだと、その原因をめぐって議論が果てしなく続けられてきたわけですが、その背後に合理的な理由を探すよりも、衝突それ自体、すなわち死（自分の死にしろ、相手の死にしろ）への欲望自体が目的だったと考える方がシンプルで理にかなっています。

一九一四年の戦争とは、それ自体、ある種の集団的狂気です。マルクス主義的な経済決定論では、この戦争は捉えられないと考え、私は『狂人とプロレタリア』という本――今から思うと拙《つたな》さが残る〝若書き〟なのですが――で、二〇世紀の世界を荒廃させた「ヨーロッパの狂気」の正体と起源を見定めようとしました。

言い換えると、「プロレタリア階級こそ重要だ」というマルクスの考え方に対して、「中産階級の動向こそ歴史の鍵を握っている」と私は考えたわけです。そこで、『自殺論』を書いたデュルケームに倣い、西欧各国のアルコール依存症や精神疾患の患者数などの統計を用いました。つまり、経済指標ではなく、もっぱら精神状態や心理に関わる指標を使用したのです。

これを調べてみると、自殺率が高くなり、精神疾患やアルコール依存症の患者数が増えているのは、労働者階級ではなく、中産階級でした。ノーマルな精神状態にあった労働者階級に対し、中産階級の精神状態が不安定だったのです。つまり、「一九一四年の狂気」とは、「ヨーロッパの中産階級の狂気」です。当時のヒステリックなナショナリズムも、ヨーロッパの中産階級の産物でした。

デュルケームの『自殺論』の統計を見ても、労働者階級の自殺率は低いことが確認できます。最も自殺率が高いのは、金利生活者です。要するに、高い自殺率は、低い所得が原因ではないのです。経済的要因ですべてが説明できるわけではない、ということです。

英国は病んでいる

こうして悲観的な形で問題の核心に迫っていくと、「キリスト教の原罪」という概念にまで、「人間は何をすればいいか分からなくなると戦争へ逃げる」という結論にまで至ってしまいます。

私がこれほど悲観的に考えるようになったきっかけの一つは、今回のイギリスの行動にあります。

私はフランス人ですが、イギリスの大学で学び、研究者となりました。そんな経験から、私はイギリスに敬意と愛着を感じ、「イギリスは合理的で素晴らしい国、バランスのとれた国だ」とずっと思ってきたのです。

ところが、この戦争をめぐるイギリス政府の態度は、狂っているとしか言いようがありません。非常に好戦的な姿勢を見せています。そもそもアメリカとともに、ウクライナ軍を武装化してロシアと戦争するように嗾《けしか》けたのも、イギリスです。

非合理的な「ロシア嫌い」や「軍事主義（自国の兵士は送っていませんが）」へと逃げているのは、イギリスが深いところで精神的かつ社会的に病んでいるからだ、と考えざるを得ません。しかも近代民主主義が誕生したイギリスがこんな状態にあるだけに、大きな不安を感じています。

「地政＝精神分析学」が必要だ

私はこの戦争に、まず歴史家として、また人類学者として向き合っているわけですが、いわば「地政＝精神分析学者」として語る必要にも迫られています。

「西洋の方向喪失」や「戦争への逃避」などについて語るとき、私は地政学を新たな研究領域に広げようとしているわけですが、それは、この戦争が第一次世界大戦と同様に、戦略的にも、経済的にも、「合理的」には説明がつかない側面を有しているからです。

そもそもなぜロシアは、これほどまでに西洋の憎悪の対象になったのでしょうか。西洋から見て、選挙があり、女性の地位も高いロシアは、中国よりは〝マシな国〟であることを踏まえると、これは大きな謎です。事実、アメリカは、つい最近まで「最大の敵は中国だ」と言い続けていました。

この合理性を欠いた西洋における「反ロシア感情」について、一つの仮説を提示したいと思います。

なぜ中国よりもロシアが憎悪の対象になったのか

現在、ヨーロッパにおいて、ウクライナ難民は、シリア難民やアフガニスタン難民よりも寛大に受け入れられています。

それはおそらく、ヨーロッパの人々にとって、金髪で青い目をしたウクライナ人たちが〝人種的に理想的な人々〟に見えるからでしょう。逆にたとえば、シリア人は、身体的にはどちらかと言えば、私のような見た目をしているので〝人種的に理想的な人々ではない〟のでしょう。

しかしここで疑問が浮かんできます。典型的なロシア人――アジア人に似ているロシア人もいるのですが――も、ウクライナ人によく似ていて、見た目はほぼ同じです。多くのロシア人は、北欧人のように金髪で、プーチンもまさにそうした見た目をしています。もっとざっくばらんに言えば、ヨーロッパ人から見て、ロシア人女性も、ウクライナ人女性と同じように〝人種的に美しい〟わけです。

ということは、〝人種的な意味で理想的なヨーロッパ人〟と見られているにもかかわらず、ロシア人は憎悪の対象となっているのです。

となると、これは、「ロシア人たちは金髪なのに我々と同じように考えていない」「我々と同じであるべきなのに異なる考え方を持っている」ことが理由だと考えるしかありません。要するに、〝人種的〟には完璧なのに〝考え方〟がよろしくない、と。他方、中国人に対しては「彼らはアジア人であり、そもそも我々と同じではない」と捉えられているがゆえに、そこまで問題となっていないのではないか、と。

これは乱暴な仮説ですが、西洋における「反ロシア感情」は、こうとでも考えないと説明がつかないほど、非合理的なものなのです。

「反露感情」で経済的に自殺するドイツ？

とはいえ、ヨーロッパの人々は、この戦争が実際に始まったことに、精神的に大きな衝撃を受けています。そこが、常に戦争をしてきたアメリカとは異なるところです。そして今後、ヨーロッパの人々は、対ロシア制裁の具体的な影響を感じ始めることでしょう。この点も、ロシアと経済的関係が深くないアメリカとは異なるところです。その意味で、この危機の第一の被害者はウクライナ人ですが、第二の被害者はヨーロッパ人なのです。

対ロシア制裁によって、ドイツは自国産業の崩壊というリスクに直面するでしょうし、ヨーロッパの中でロシアへの最大投資国であるフランスも、ロシアでの権益を失い始めています。

フランス右派の『フィガロ』紙には、「この戦争から直接利益を得るのはアメリカだ。アメリカはこれを機に液化天然ガスをヨーロッパに売ろうとしているのだ」という記事が出ていました。実際、アメリカが最も懸念していたのは、ドイツを中心としたヨーロッパがアメリカから自立することだったのですが、ロシアとドイツを結ぶ天然ガスパイプライン「ノルド・ストリーム2」を停止させることに見事成功しました。

　これから注視すべきなのは、フランス以上にドイツの動きです。ドイツの未来は非常に不明瞭です。というのも、ドイツ企業の経営者たちが、ロシアからのエネルギー供給が途絶えることに不安を感じている一方、ドイツ国民の「反ロシア感情」は、フランス国民のそれよりも強いからです。

　フランス人にとって、この戦争から顔を背けることは、精神的にさほど難しいことではありません。そもそもフランス人の大多数にとっては、どこにあるかもよく分からないほど、ウクライナは〝遠い国〟であり、歴史的にもほとんどつながりがないからです。

　フランス大統領選の一回目の投票では、「ロシアに近い」と批判されていた極左のメランションと極右のルペンが高い得票率を得て、「ロシアにより厳しい態度で臨むべきだ」とする共和党のペクレス、環境政党のジャドー、社会党のイダルゴは大敗しました。低所得層から票を得ていたのはメランションとルペンの方で、要するに、ロシア関連の問題には、フランスのエリート層が関心を抱いているだけで、一般大衆は関心がないのです。

これに対して、ドイツにとって、ウクライナ問題は、より身近で重大な問題として存在しています。まさに第二次世界大戦でソ連赤軍とドイツ国防軍が死闘を繰り広げた戦場だったからです。先祖をウクライナの地で亡くした人もいて、ドイツ人にとっては、より具体的で感情的にも複雑な問題なのです。

この点を考慮すると、ドイツが今後、非合理的な「反ロシア感情」によって経済面で自殺的な行動に走る可能性も十分考えられます。

現時点では一歩引いた方がいい

フランスのテレビは、連日、戦争に関するニュースを流していますが、コメンテーターのほぼ全員が「プーチンはモンスターだ」と感情的になっているのが現状です。「戦場で市民は一人も殺されないのが通常の戦争だ」と決め付けているかのような報じ方もされています。

ただ現時点で私は、戦争の具体的な要素についてあまり考えないようにしています。というのも、歴史家として、まだ十分にファクトが揃っていないと思うからです。

この状況に対して具体的な行動は何もできないなかで、私にとっての道徳的な行動とは、誰が正しいのか、誰が間違っているのかを考えるのではなく、ひたすら真実に忠実であろうとすることです。

「ウクライナ国内で実際に何が起きているか」がよく分からない現段階では、「戦場の個々の事実」ではなく、「世界の構造レベルで何が起きているのか」を見極めようとしています。戦場に直接関わる事柄よりも、より確かな情報が得られるからです。

ロシアもウクライナも嘘をついているのでしょう。

たとえば、私がいまフランスで日々接している情報は、アメリカとウクライナからの情報です。このように、自分自身がアメリカとウクライナにコントロールされた情報システムに属しているとしっかりと認識した上で、そこから見えてくるロシアをそのまま真《ま》に受けるのも避けなければなりません。ロシアもまた嘘をついているからです。私がロシアに幻想を抱いているわけではないことも、ここで強調しておきたいと思います。

マリウポリから脱出したフランス人の証言

とはいえ先日、フランスのテレビ番組で驚くべきシーンに遭遇しました。マリウポリのウクライナ兵士がロシアへの降伏を拒否していた時のことです。ロシアは「降伏すればウクライナ兵の命は保証する」と言っていましたが、「そんなのは嘘だろう」と私も思っていました。そもそもロシアがマリウポリに侵攻したのは、「アゾフ大隊」を叩き潰すためで、マリウポリのウクライナ兵士は、ロシア側から「アゾフ大隊」だとみなされているからです。

一方、アゾフ大隊の方は、「ロシアに降伏して処刑されるよりも武器を手に死んだ方がマシだ」と考えていたはずです。

ところで、私がたまたまテレビで見たのは、マリウポリから逃げることができた子連れのフランス人男性とウクライナ人女性のカップルに対する取材です。どの組織が彼らを脱出させたのかは分かりませんが、明らかに民間人である彼らは脱出に成功し、生中継でインタビューを受けていました。

そこでフランス人男性が驚くべき発言をしたのです。彼はこう言いました。「私たちは最初、マリウポリから脱出しようとしました。しかし、ウクライナ軍が私たちを阻止したのです」

この証言が正しいとすれば、ウクライナ軍が民間人を〝人間の盾〟として利用している証拠が生中継で流れたことを意味します。普通に考えれば、無視できない証言です。ところが、誰も彼の証言の意味をそれ以上、追究しようとはしなかったのです。

とはいえ、こう指摘するだけで、おそらく私は「親ロシア派」とみなされてしまうでしょう。

ですから状況はとにかく複雑です。こうしたことも含めて、私は〝一歩引いた歴史家〟という立場から物事を見る方がよいと考えています。

「ウクライナに兵器を送るべきだ」の冷酷さ

いま西側、とくにヨーロッパの人々は衝撃を受けて驚いている状態ですが、戦争はまだ〝リアルなもの〟とはなっていません。経済的なショックは、現実にはまだ生じておらず、生じたとしても労働者層に影響を与えるもので、たとえば物価高騰は、私のようなパリに暮らすブルジョワ層ではなく、地方に暮らす庶民層を苦しませます。

現在の状況は、私に「モノポリー」というゲームを思い起こさせます。

最初はとくに何も考えずゲームに参加してみる。するとだんだん熱中し始め、家を建てたり奪われたりしながら、ゲームにのめり込んでいく。そしてゲームが終わった途端に熱は冷め、いったい自分は何をしていたのだろうと我に返る。

これを私は「モノポリー効果」と呼びたいのですが、いまフランス人は、まさにそのような状況に置かれています。ウクライナで起きていることに対して、ろくに考えもせずに発言し、ウクライナ人が具体的にどんな状況にいるのか想像すらできていないのです。

ミアシャイマーが指摘していたように、「ウクライナに兵器を送るべきだ！」「ウクライナ人は最後の一人になるまで戦うべきだ！」などと声高に叫ぶことが、どれだけ冷酷なのかにすら気づいていません。「もうこの戦争は終わらせなければならない！」

「交渉するべきだ！」とは誰も言わないのです。

この戦争にブレーキをかけうる要素を一つ考えるとすれば、関係国の人口動態上の脆弱さです。

人口減少はそれ自体、社会の存続にとっては問題ですが、国家間紛争の解決は、各国の人口が増大する局面よりは減少する局面の方が容易だからです。

いま私たちが生きているのは、人口が貴重なものになっている時代です。出生率の低下によって、人口が非常に縮小しています。人口減少は、日本だけでなく、ロシアでもウクライナでも生じています。人々に理性を取り戻させることができるとすれば、それはひとえに「兵士の命の価値の高さ」へ意識が向けられることによってでしょう。

米国が〝参戦国〟として前面に

ここに来て、アメリカがいよいよ、この戦争の中心的な〝参戦国〟として姿を現しつつあります。ロシアが示していた「レッドライン」を無視してウクライナを武装化することで事実上のNATO加盟国とし、そもそもの始めから一番の当事国であったことをみずから〝告白〟しているかのようです。この戦争は、ロシアとアメリカの戦争であることがはっきりしてきたわけです。

ウクライナの背後でこの戦争を主導しているのは、アメリカとイギリスです。この事実自体が、ドイツ、フランス、日本、そして他の国々に対して「果たしてこの戦争にコミットすべきなのか」と問いかけています。

〝軍事支援〟でウクライナを破壊している米国

二〇二二年五月三日、バイデン大統領は、ジャベリンの製造工場を訪問して、「あなた方のお陰で、ウクライナ人は自らを防衛することができている。ロシア兵と戦うために米兵を送り、第三次世界大戦となるリスクを冒さずに済んでいる」と従業員らを激励し、ウクライナ支援を継続するために、三三〇億ドル（約四・三兆円）の追加予算を早期に通すよう米議会に訴えました。

まさにアメリカは、武器だけ提供し、ウクライナ人を〝人間の盾〟にしてロシアと戦っているわけです。

アメリカによる軍事支援（＝アメリカの事実上の参戦）は、次の三つのことを意味しますが、ロシアにとっては、実は〝問題〟であると同時に〝解決の糸口〟となり得ることも見ておきましょう。

（1）ウクライナの戦場でロシア軍が立ち向かう相手は、アメリカの軍事システムとアメリカ軍より勇敢な兵士で、この点に関してロシアは困難に直面しています。

（2）ただし、もしこの戦争がアメリカ相手の戦争ならば、ロシアはこの戦争を進める上で、遠慮はいっさい不要となり、ウクライナを躊躇《ちゅうちょ》せずに徹底的に破壊できるようになります——これは非人間的ですが、筋は通っています——。

（3）そして世界から見ても、ロシアはもはや「ウクライナという弱い国を相手にする強国」ではなく、「アメリカという大国を相手にする弱い国」となります。

こうなれば、ロシアは、アメリカが期待したほど、世界から孤立することはないでしょう。

今後の展開は見通しがたいのですが、すでに「世界戦争化」し、事実上、アメリカとロシアが衝突している以上、「長期戦」「持久戦」となる可能性が高いと言えます。

そうしたなかで、ロシアが今回制圧した領土から出ていくことはないでしょう。すでに多大な犠牲――おそらく一万人ほどの犠牲者――を払っているからです。

先に述べたように、ポーランドによるガリツィア併合の可能性も考えられ、まさに「ウクライナの分割」が現実味を帯びてきます。

そして何よりも、戦争が長期化すればするほど、多数のウクライナ人が犠牲となり、難民として国外に逃れ、ウクライナの建物や橋は破壊されていきます。ロシアによる侵攻前に、大量の人口流出によってすでに「破綻国家」に近かったウクライナが、この戦争によって、さらに破壊されていくのです。

要するに、アメリカは〝支援〟することで、実はウクライナを〝破壊〟しているわけです。

戦争が終わった時、生き残ったウクライナ人たちは、どう感じるのでしょうか。

少なくとも私がもしウクライナ人なら、アメリカに対して激しい憎悪を抱くはずです。というのも、「アメリカは血まみれの玩具のようにウクライナを利用した」ということこそ、すでに明らかな歴史的真実だからです。

エマニュエル・トッド（Emmanuel Todd）

1951年生まれ。フランスの歴史人口学者・家族人類学者。国・地域ごとの家族システムの違いや人口動態に着目する方法論により、『最後の転落』（76年）で「ソ連崩壊」を、『帝国以後』（2002年）で「米国発の金融危機」を、『文明の接近』（07年）で「アラブの春」を、さらにはトランプ勝利、英国EU離脱なども次々に〝予言〟。著書に『エマニュエル・トッドの思考地図』（筑摩書房）、『「ドイツ帝国」が世界を破滅させる』『シャルリとは誰か？』『問題は英国ではない、EUなのだ』『老人支配国家 日本の危機』（いずれも文春新書）など。

（訳者）
大野　舞（おおの まい）

1983年生まれ。慶應義塾大学総合政策学部卒業、一橋大学大学院社会学研究科修士課程修了。パリ大学東アジア人文科学研究科博士課程所属。訳書に『大分断――教育がもたらす新たな階級化社会』『エマニュエル・トッドの思考地図』（以上、トッド著）。

文春新書

1367

第三《だいさん》次《じ》世《せ》界《かい》大戦《たいせん》はもう始《はじ》まっている

2022年6月20日　第1刷発行

著　者　エマニュエル・トッド
訳　者　大野　舞
発行者　大松芳男
発行所　株式会社　文藝春秋

〒102-8008　東京都千代田区紀尾井町3-23
電話（03）3265-1211（代表）

印刷所　理想社
付物印刷　大日本印刷
製本所　大口製本

定価はカバーに表示してあります。
万一、落丁・乱丁の場合は小社製作部宛お送り下さい。
送料小社負担でお取替え致します。

ISBN978-4-16-661367-0

文春新書好評既刊

エマニュエル・トッド　ハジュン・チャン
柴山桂太　中野剛志　藤井聡　堀茂樹

グローバリズムが世界を滅ぼす

世界デフレ不況下での自由貿易と規制緩和は、解決策となるどころか、経済危機をさらに悪化させるだけであることを明らかにする！

974

エマニュエル・トッド　堀茂樹訳

「ドイツ帝国」が世界を破滅させる

日本人への警告

ウクライナ問題の原因はロシアではなく、冷戦終結とEU統合によるドイツ帝国の東方拡大だ。ドイツ帝国がアメリカ帝国と激突する

1024

エマニュエル・トッド　堀茂樹訳

シャルリとは誰か？

人種差別と没落する西欧

シャルリ・エブド襲撃を非難した「私はシャルリ」のデモは、表現の自由を謳うが、実は偽善的で排外主義的であることを明らかにする

1054

エマニュエル・トッド　堀茂樹訳

問題は英国ではない、EUなのだ

21世紀の新・国家論

袋小路に陥るEUに対し、英国EU離脱とトランプ旋風は、英米という発祥地でのグローバリズムの終焉と国家への回帰を意味する

1093

エマニュエル・トッド

老人支配国家　日本の危機

真の脅威は「コロナ」でも「経済」でも「中国」でもなく「日本型家族」だ！　核武装から皇室までを語り尽くすトッドの日本論

1339

文藝春秋刊